DANIELLE STEEL
COMING OUT

ДАНИЭЛА СТИЛ

ЧТО БЫЛО, ЧТО БУДЕТ...

РОМАН

МОСКВА

ЭКСМО

2007

УДК 82(1-87)
ББК 84(7США)
С 80

Danielle STEEL

COMING OUT

Перевод с английского *С. Володиной*

Оформление серии *М. Суворовой*

Стил Д.

С 80   Что было, что будет...: Роман / Даниэла Стил;
[пер. с англ. С. Володиной]. — М.: Эксмо, 2007. —
320 с.

ISBN 978-5-699-20580-6
ISBN 978-5-699-21070-1

У героини нового романа Даниэлы Стил Олимпии Рубинштейн есть все — успешная адвокатская карьера, счастливый брак, замечательные дети. И она с тактом, юмором, неиссякаемой энергией и оптимизмом справляется со всеми проблемами, которые неизменно сопровождают жизнь деловой женщины, матери большого семейства и хозяйки дома.

Но однажды Олимпия раскрывает пришедший по почте конверт... В нем — приглашение ее дочерям-близнецам, оканчивающим школу, принять участие в традиционном торжестве. Бал дебютанток — событие исключительное и незабываемое в жизни юных представительниц высшего света, и Олимпия уже предвкушает радость дочерей... Но, к ее изумлению, реакция членов семьи была иной. С этого момента в жизни Олимпии все пошло кувырком.

УДК 82(1-87)
ББК 84(7США)

ISBN 978-5-699-20580-6
ISBN 978-5-699-21070-1(Н.Оф.)

Моим замечательным, необыкновенным детям:
Беатрис, Тревору, Тодду, Нику,
Саманте, Виктории, Ванессе,
Максу и Заре,
бесстрашно и с достоинством
вступающим во взрослую жизнь.
За их мудрость, смех и любовь,
которыми они так щедро делятся со мной.
С благодарностью за то, что вы научили меня
понимать и ценить главное,
что есть в нашей жизни.
За те бесценные мгновения,
которые вы делите со мной. Будьте счастливы!

С любовью и безграничной нежностью, мама.

10 Кто найдет добродетельную жену?
цена ее выше жемчугов;

11 Уверено в ней сердце мужа ее...

12 Она воздает ему добром, а не злом,
во все дни жизни своей.

13 ...с охотою работает своими руками.

14 ...издалека добывает хлеб свой.

15 Она встает еще ночью и раздает пищу
в доме своем...

16 Задумает она о поле, и приобретает его;
от плодов рук своих насаждает
виноградник.

18 ...светильник ее не гаснет и ночью.

20 Длань свою она открывает бедному,
и руку свою подает нуждающемуся.

25 Крепость и красота — одежда ее,
и весело смотрит она на будущее.

26 Уста свои открывает с мудростию,
и кроткое наставление на языке ее.

27 Она наблюдает за хозяйством
   в доме своем и не ест хлеба праздности.

28 Встают дети и ублажают ее,
   муж, — и хвалит ее:

29 «Много было жен добродетельных,
   но ты превзошла всех их».

31 Дайте ей от плода рук ее,
   и да прославят ее у ворот дела́ ее!

Книга Притчей Соломоновых, Глава 31.

Что было, что будет...

Глава 1

Стояло солнечное майское утро. Оливия Кроуфорд Рубинштейн хлопотала на кухне своего нью-йоркского дома на Джейн-стрит, который занимала со всей своей большой семьей. Район, где они жили, находился неподалеку от бывшего мясницкого квартала в Вест-Виллидже. Теперь же это был фешенебельный район с современными многоквартирными домами с привратниками, соседствовавшими с отреставрированными старинными особняками, стильными и солидными.

Олимпия готовила ленч для своего пятилетнего сынишки Макса. Через несколько минут должен был подъехать школьный автобус, который забирал детей и развозил их по домам. Макс посещал детский сад в Долтоне, каждое утро мальчик на целый день уезжал из дома, и только в пятницу малыши оставались в группе для дошкольников до полудня. Олимпия всегда в этот день оставалась дома, чтобы побыть с сыном. Макс был не единственным ребенком Олимпии — от первого брака у нее было трое старших детей, а в браке с Гарри только один — Макс.

Этот дом Олимпия с мужем отремонтировали шесть лет назад, когда она забеременела. До этого они жили в ее квартире на Парк-авеню, которую она занимала со своими тремя детьми после развода с первым мужем. Сюда и переехал Гарри.

С Гарри Рубинштейном Олимпия познакомилась через год после того, как развелась с Чонси Уокером. Сейчас их браку было тринадцать лет. Они уже и не надеялись дождаться потомства, когда спустя восемь лет после свадьбы у них появился Макс. Родители, сводные сестры и брат души в нем не чаяли. Веселого, беззаботного малыша обожали все. Макс каким-то чудесным образом еще больше сблизил всех членов семьи, поселил радость в доме и в сердцах своих близких.

Сама Олимпия была партнером в процветающей юридической фирме. Ее фирма специализировалась на делах о нарушении гражданских прав и коллективных исках. Олимпия главным образом вела дела, связанные с притеснениями или жестоким обращением с детьми, это был ее конек. В своей области она имела солидную деловую репутацию.

Юридический факультет Олимпия закончила уже после развода, почти пятнадцать лет тому назад. А через два года после выпуска вышла замуж за Гарри, который был в числе ее преподавателей в Колумбийском университете. Теперь Гарри занимал должность судьи федерального апелляционного суда. А недавно его кандидатуру выдвигали в Верховный суд. Правда, выбор в конечном итоге пал на другого кандидата, но он был очень близок к назначению, так что оба надеялись, что следующая вакансия ему обеспечена.

С Гарри у них были общие убеждения, ценности и пристрастия — несмотря на различие в происхождении. Он вырос в ортодоксальной еврейской семье, причем его родители в детстве пережили Холокост. Мать, уроженка Мюнхена, в десятилетнем возрасте попала в концлагерь в Дахау, там погибли все ее близкие. Отец Гарри был одним из немногих уцелевших узников Аушвица, а познакомился он с будущей женой много позже, уже в Израиле. Поженились, когда обоим не было и двадцати, и перебрались в Штаты.

Никого из родных у них не осталось, и Гарри — их единственный сын — стал для них светом в окошке, средоточием всех устремлений, мечтаний и надежд. Всю жизнь родители Гарри работали как каторжные, чтобы дать сыну хорошее образование, отец — портным, мать — швеей в Нижнем Ист-Сайде — районе Нью-Йорка, где традиционно селились бедные иммигранты из Европы. Впоследствии Фрида, мать Гарри, работала уже на Седьмой авеню — в самом сердце индустрии моды.

Отец Гарри умер вскоре после того, как его сын и Олимпия поженились. Больше всего Гарри печалило то, что старик не дожил до рождения внука. Мать Гарри — сильная, умная женщина, любящая без памяти своего сына и внука, сына, конечно же, считала гением, а внука — вундеркиндом.

После второго замужества Олимпия перешла из епископальной веры в иудаизм. Вместе с мужем она ходила в реформаторскую синагогу, по пятницам обязательно читала положенные в Шабат молитвы и зажигала свечи, что всякий раз трогало Гарри до глубины души. И он, и его мать были убеждены, что Олимпия — женщина выдающихся достоинств, прекрасная мать, превосходный юрист и замечательная жена. Гарри, как и Олимпия, когда-то уже был женат, но детей от первого брака у него не было.

В июле Олимпии должно было стукнуть сорок пять, Гарри было пятьдесят три года. Они являли собой гармоничную во всех отношениях пару, хотя и происходили из совершенно разных слоев общества. Даже внешне они каким-то чудесным образом дополняли друг друга. Она — блондинка с огромными голубыми глазами, он — кареглазый брюнет; она — изящная, миниатюрная, он — большой, сильный, добродушный, с неизменной улыбкой на губах. Олимпия, обычно сдержанная и серьезная, была готова искренне смеяться любой шутке, особенно исходящей от Гарри или кого-то из детей. И невесткой она была необыкновенно чуткой и заботливой. Семидесятипятилетняя Фрида была окружена вниманием и никогда не упускала случая прилюдно похвалить Олимпию.

Родители же Олимпии происходили из совершенно иной социальной среды. Кроуфорды были представителями одной из самых известных семей высшего света Нью-Йорка, чьи благородные предки на протяжении поколений были связаны брачными узами с членами знаменитых родов Асторов и Вандербилтов. Их имена носили архитектурные сооружения и различные деловые центры, а дом в Ньюпорте на Род-Айленде, где они проводили каждое лето, хоть и назывался «коттеджем», считался одним из красивейших особняков и достопримечательностью этого фешенебельного курорта.

К тому моменту, когда юная Олимпия — она тогда еще училась в Вассарском колледже — потеряла родителей, состояние семьи практически сошло на нет, и ей пришлось продать и дом, и землю, чтобы расплатиться по многочисленным долгам, в том числе налоговым. Отец Олимпии никогда всерьез не занимался делами и, как остроумно и очень точно выразился на его похоронах один дальний родственник, «имел небольшое состояние, которое сделал из большого».

Выплатив долги и расставшись с солидной недвижимостью, Олимпия осталась практически без серьезных средств, но зато голубая кровь и аристократические связи были при ней. Ей только хватило, чтобы заплатить за учебу и оставить кое-что на будущее — из этих денег позже она и оплатила свое дальнейшее образование.

Через полгода после окончания престижного колледжа Вассар Олимпия вышла замуж за Чонси Бедхама Уокера Четвертого, свежеиспеченного выпускника Принстона. Чонси Уокер был ее первой и большой любовью. Обаятельный, красивый, веселый парень был душою любого общества, искусным наездником и игроком в поло. Олимпия влюбилась в него с первого взгляда. С того момента, как Олимпия его увидела, другие юноши перестали для нее существовать. Олимпию нисколько не интересовало огромное состояние семьи Уокер, их связи и положение в обществе. Она была настолько ослеплена своей всепоглощающей любовью, что не замечала ни пристрастия Чонси к спиртному и азартным играм, ни его мотовства, ни многочисленных интрижек.

После Принстона Чонси начал карьеру в принадлежащем семье инвестиционном банке. Почувствовав себя полновластным хозяи-

ном, он в конце концов стал появляться у
себя в кабинете лишь изредка, для приличия.
С Олимпией он тоже проводил совсем немного времени, предпочитая появляться дома далеко за полночь. Зато гулял направо и налево.
Когда Олимпия осознала наконец, что на самом деле происходит, у них с Чонси уже было
трое детей. Заботы о малышах целиком захватили молодую мать, и на размышления о собственной жизни у Олимпии не оставалось ни
сил, ни времени.

Их первенец Чарли родился через два
года после свадьбы, а его сестренки-близнецы, Вирджиния и Вероника, тремя годами
позже.

Олимпия и сейчас не могла понять, как
могла она, женщина проницательная и неглупая, так долго не видеть очевидного — поверхностности мужа, его бесчисленных измен, отсутствия интереса к ней и детям. Нет,
она и тогда понимала, что Чонси вряд ли когда-нибудь станет примерным семьянином, и
готова была с этим мириться, считая его че-

ловеком ярким и незаурядным. Увы, она прозрела не скоро.

Олимпия и Чонси прожили вместе семь лет, к моменту развода Чарли исполнилось пять, девочкам было по два годика, а самой Олимпии — двадцать девять.

Сразу после развода Чонси окончательно оставил работу в банке и переехал жить в Ньюпорт к своей бабке, которая была старейшиной светского общества Ньюпорта и Палм-Бич. Там он наконец целиком отдался праздности и развлечениям — посвятил себя игре в поло и охоте за представительницами прекрасного пола.

Но холостяцкую жизнь Чонси Уокер вел недолго. Год спустя он женился на Фелиции Уэзертон, которая подходила ему идеально. Они выстроили дом рядом с поместьем бабушки, которое Чонси унаследовал безраздельно, купили новых лошадей для бабушкиных конюшен, а четыре года спустя у них уже подрастали три дочери.

Годом позже вышла замуж во второй раз и

Олимпия. Ее мужем стал Гарри Рубинштейн. Новый выбор бывшей жены Чонси Уокер воспринял как нечто нелепое и ужасное. Когда же их сын Чарли сказал отцу, что мама перешла в иудейскую веру, Чонси лишился дара речи. Не менее сильное впечатление произвело известие о поступлении Олимпии на юридический факультет. И Чонси сделал вывод, что, кроме аристократических корней, у него и его бывшей жены нет ничего общего и быть не может. Так что их развод был закономерен.

Олимпия пришла к такому заключению гораздо раньше. Представления и установки, которым она следовала в молодости, с годами кардинально изменились. Ценности, исповедуемые бывшим мужем, а вернее отсутствие таковых, были абсолютно неприемлемы для той зрелой женщины, которой Олимпия стала.

Все пятнадцать лет после развода Олимпия и Чонси старательно поддерживали шаткое перемирие, временами переходящее в боевые действия местного масштаба, поводом для которых чаще всего являлись финансовые причины. Чонси поддерживал детей от первого брака, хотя и не слишком щедро. Несмотря на свое огромное состояние, он не баловал своих старших детей, зато был куда более расточителен в своих нынешних расходах. К тому же он поставил перед Олимпией одно жесткое условие: никогда не понуждать их общих детей принять иудейскую веру.

Впрочем, это условие ничего не меняло — Олимпия и так не собиралась ни на кого оказывать давления. Для нее переход в другую веру стал исключительно ее личным решением, в котором ее горячо поддержал Гарри. Чонси же был откровенным антисемитом и не считал нужным это скрывать. Гарри считал его высокомерным, напыщенным и, по большому счету, никчемным человеком. За все эти пятнадцать лет Олимпии так и не удалось найти основания, чтобы встать на защиту бывшего мужа — если не считать того, что она выходила за него замуж по любви и что он был отцом троих ее детей.

Чонси был весь соткан из предрассудков и снобизма. И он, и его вторая жена ни в малейшей степени не утруждали себя политкорректностью. Гарри такое поведение считал абсолютно неприемлемым. Уокеры, по мнению Гарри, были людьми из другого мира, и он не мог понять, как Олимпия умудряется выносить бывшего мужа дольше десяти минут, не говоря уже о семи годах супружества. Для Гарри такие люди, как Чонси и Фелиция, да и все великосветское общество Ньюпорта, оставались загадкой. И он не имел желания ее разгадывать, так что редкие попытки Олимпии что-либо ему объяснить не достигали цели. Поняв это, Олимпия не стала досаждать мужу пространными объяснениями.

Гарри боготворил Олимпию, любил ее детей и обожал маленького Макса. Удивительное дело, но одна из двойняшек, Вероника, подчас казалась скорее его дочерью, чем ребенком Чонси. С Гарри ее роднила приверженность к либерализму и идеалам социальной справедливости. А вот ее сестра Вирджиния унаследовала куда больше от своих ньюпортских предков, да и нрава она была более легкомысленного.

Их старший брат Чарли учился в Дартмут-колледже. Одно время он серьезно увлекся теологией, но потом, казалось, изменил свои планы стать священником. Макс же был занятный человечек, не по годам рассудительный, чем напоминал бабушке Фриде ее отца, который в Германии был раввином, пока не попал в концлагерь Дахау — но и там, невзирая ни на что, он умудрялся помогать всем, кому только мог, пока не встретил свою смерть вместе со всеми близкими.

Рассказы Фриды о ее детстве и погибшей родне всякий раз вызывали у Олимпии слезы. У Фриды Рубинштейн с внутренней стороны левого запястья была татуировка — порядковый лагерный номер, трагическое напоминание о несчастном детстве в фашистской Германии. Из-за этой татуировки она всегда носила вещи только с длинными рукавами. Олимпия никогда не забывала об этом, когда покупала Фриде блузки и джемпера, а это случалось часто. Между невесткой и свекровью царило полное взаимопонимание и уважение, лишь углублявшееся с годами.

Олимпия отвлеклась от своих мыслей, услышав, как в ящик на двери опустили почту. Она забрала письма, закончила возиться с ленчем. И очень вовремя, потому что в этот момент раздался звонок — это вернулся из школы Макс. Наконец-то! Олимпия с утра предвкушала удовольствие от общения с сыном. Она всегда придумывала ему какое-нибудь особенное развлечение на пятницу. Но сегодня ей предстояло везти сына на тренировку по футболу.

Олимпия считала себя бесконечно счастливой женщиной — у нее была и приносящая удовлетворение работа, и семья, являвшаяся для нее центром вселенной и смыслом всей ее жизни. А что еще нужно человеку?!

Олимпия любила эти дни, когда позволяла

себе остаться дома и никуда не спешить. Она радовалась самой возможности побыть с детьми. К вечеру вернутся девочки. Обычно они появлялись дома не рано: то у них теннис, то плавание, то встречи с друзьями, а у Вирджинии не было отбоя от кавалеров. Вероника была более строгих правил, она унаследовала от матери застенчивость и осторожность в знакомствах. Вирджиния пользовалась бо́льшим вниманием своих сверстников, а Вероника была успешнее в учебе. Осенью обе девочки должны были начать занятия в колледже Браун, а пока что в июне их ждало получение аттестатов зрелости.

Чарли пошел по стопам отца и трех предшествующих поколений Уокеров и поступил в Принстон, но потом сделал выбор в пользу Дармут-колледжа. Среди его разнообразных интересов главным был хоккей на льду, так что Олимпия только молилась, чтобы к окончанию учебы сын сохранил целыми зубы. Через неделю он должен был приехать домой на летние каникулы, навестить отца и его теперешнюю семью, а затем отправиться поработать инструктором по верховой езде и конюхом в детский лагерь в Колорадо. Подобно отцу, Чарли обожал все связанное с лошадьми и превосходно играл в поло, но предпочитал менее церемонные виды конного спорта. Он получал удовольствие от езды в ковбойском седле и от обучения верховой езде детишек — Олимпия с Гарри всецело это одобряли.

Вот чего бы Гарри совсем не хотелось, так это видеть, как приемный сын, следуя примеру своего папаши, все летние каникулы тратит на великосветские тусовки. Весь образ жизни Чонси был чужд Гарри, который всего в своей жизни добился кропотливым трудом. Гарри с удовлетворением отмечал, что в Чарли есть и стержень, и душа куда в большей степени, чем в его родном отце. Хороший парень, умная голова, доброе сердце и твердые принципы и убеждения. За Чарли можно было не беспокоиться.

Девочек по случаю окончания учебы ждала поездка с подругами в Европу. В августе

Олимпия с Гарри и Максом должны будут пересечься с ними в Венеции, проехать все вместе по Умбрии, побывать на озере Комо, а оттуда отправиться в Швейцарию, где у Гарри жили дальние родственники. Олимпия с нетерпением ждала этой поездки.

По возвращении ей предстоит отвезти дочерей в колледж Браун, и тогда дома с ней останутся только Гарри и малыш Макс. Дом уже и теперь, когда уехал учиться Чарли, казался ей чересчур тихим. А с отъездом девочек и вовсе затихнет и опустеет. Впрочем, сестры и сейчас, в предвкушении выпуска и долгожданной свободы, редко бывали дома.

В последние три года Олимпия особенно сильно скучала по старшему сыну и жалела, что они с Гарри не завели больше детей. Но сейчас, в сорок пять, она с трудом представляла себя в роли матери. Время было упущено безвозвратно. Все это было в прошлом, надо благодарить судьбу уже за то, что у них есть Макс.

Едва заслышав звонок, Олимпия бросилась к двери. Перед ней предстал Макс, улыбающийся счастливой улыбкой пятилетнего ребенка. Он немедленно кинулся матери на шею.

— Мам, у меня был такой классный день! — поспешил похвалиться он.

Макс был замечательным ребенком. Он горячо любил родителей и сестер, а старшего брата просто боготворил, хотя и виделся с ним нечасто. Нежно любил бабушку, с удовольствием занимался спортом, обожал смотреть фильмы, жадно поглощал все, что приготовит мама, почтительно относился к своим преподавателям и был верным другом. Словом, абсолютно счастливый маленький человек.

— У Дженни день рождения, нас угощали кексами! Шоколадными, такими обсыпанными...

Малыш захлебывался от восторга, словно лакомство было для него в диковинку, хотя Олимпия, как член родительского комитета, прекрасно знала, что такие кексы в дни рождения у ребят бывают чуть не каждую неделю. Но для Макса любой день, хоть чуть-чуть отличающийся от обыденного, становился чудесным и совершенно особенным.

— Вкуснотища!

Футболка Макса была обрызгана краской. Джемпер с порога небрежно полетел на стул в прихожей. Кроссовки тоже были перепачканы краской. Чем бы Макс ни занимался, энергия била из него ключом.

— У вас сегодня было рисование? — спросила Олимпия, когда Макс уже усаживался за большой круглый стол, за которым обычно собиралась вся семья.

В доме была и большая столовая, обставленная антикварной мебелью, доставшейся Олимпии по наследству, но ею пользовались только по особым случаям — принимая гостей и в праздники, такие, как Рождество, Ханука, еврейская Пасха, День благодарения. В семье отмечались праздники и христианские, и иудейские, чтобы никто из детей не чувствовал себя ущемленным. Родители стремились привить им уважение к различным традициям. Поначалу свекровь смотрела на это косо, но теперь приняла этот семейный неписаный устав — «ради детей».

В обычные же дни вся жизнь семьи сосредотачивалась на кухне, а для Олимпии кухня была еще и рабочим местом. В углу стоял небольшой стол с компьютером, на котором копились счета и бумаги, в большинстве имеющие отношение к хозяйству и жизни семьи. Наверху, рядом со спальней, у Олимпии был маленький кабинет, в котором она работала по утрам в пятницу, а иногда и вечерами, когда вела какое-нибудь крупное дело и была вынуждена брать работу домой.

Но такое бывало нечасто. Обычно она предпочитала разбираться с делами в офисе. Совмещать карьеру и хозяйство было непросто. Но Олимпии это удавалось, что неизменно вызывало восхищение Гарри и старших детей.

Дом — это святое. Так считала Олимпия и

никогда не смешивала две эти составляющие ее жизни. Она редко заводила с детьми разговор о своих делах — только когда те сами интересовались. Она предпочитала интересоваться их успехами и проблемами. Даже няню к Максу Олимпия приглашала только на те часы, когда отсутствовала, не задерживая ее ни минутой дольше. Общение с сыном было для Олимпии и потребностью, и радостью, и она никогда не пренебрегала ни малейшей возможностью побыть с ним.

— Как ты узнала, что у нас было рисование? — оживился Макс, с видимым удовольствием уминая за обе щеки сандвич с индейкой. Олимпия сделала все так, как он любил, майонеза положила ровно по его вкусу, а на гарнир приготовила целую гору картошки фри.

Свои материнские обязанности она выполняла идеально. И относилась к ним очень естественно и без напряжения. Олимпия любила готовить, знала, что любят ее дети и чем порадовать Гарри, не жалела времени на разговоры с детьми, вникала в их проблемы, разбирая различные сложные ситуации.

За редким исключением она была в курсе всего, чем они занимались. Свято хранила чужие секреты и могла дать дельный совет в любовных делах, во всяком случае, так считала Вирджиния. Вероника о своих увлечениях предпочитала помалкивать, да и Чарли неохотно делился своими любовными переживаниями. В своих романах он предпочитал разбираться сам — так было и в школе, когда Чарли еще жил дома. Чарли вообще был по натуре человеком довольно закрытым. Гарри же считал, что Чарли — настоящий мужчина, натура цельная и порядочная. Он относил к этой категории и Олимпию, невзирая на ее принадлежность к слабому полу. Жена понимала, что в его устах это большой комплимент.

— А я ясновидящая, — улыбаясь, ответила Олимпия своему черноглазому сынишке, так похожему на своего отца. Волосы у Макса были до того черные и блестящие, что отливали синевой. — У тебя же футболка в краске! — О кроссовках она умолчала. Макс наверняка даже не заметил, что перепачкался.

Он обожал рисование, а еще, по примеру Чарли и Вероники, пристрастился к книгам. Вирджинию же заставлять читать приходилось из-под палки. У нее были дела поинтереснее — переписываться по электронной почте с подружками, болтать по телефону, смотреть молодежные программы по телевидению.

— Объясни еще раз, что такое «сновидящая»? Я забыл. Во сне увидела?

Макс с озадаченным видом жевал, силясь припомнить уже один раз слышанное объяснение, которое вылетело из головы. Для пятилетнего ребенка у него был весьма обширный запас «взрослых» слов.

— Ясновидящая. Это значит, я знаю, о чем ты думаешь, — пытаясь сохранить серьезность, ответила Олимпия и залюбовалась сыном.

— Ага! — восхищенно кивнул ребенок. —

Всегда знаешь! Я понял — мамы все знают про своих детей, правда? — Во всяком случае, его мама о нем знала все. Макс не раз убеждался в этом.

Пять лет. Чудесный возраст! От дочерей Олимпия то и дело слышала упреки и протесты, зато для Макса она пока была абсолютным авторитетом. Такое отношение сына было для Олимпии большой поддержкой, особенно в последние два года, когда сестры вступили в переходный возраст со всеми его сложностями и проблемами. В первую очередь это относится к Вирджинии, с ней у Олимпии часто возникали конфликты, главным образом из-за родительских запретов. С Вероникой причиной разногласий чаще становились вопросы глобального свойства, связанные с несовершенством этого мира. Зачастую дочь ставила Олимпию в тупик своими непростыми вопросами.

Олимпии было намного сложнее общаться с девочками-подростками, нежели с этим малышом или даже с их братом-студентом, всегда отличавшимся спокойным, миролюбивым и рассудительным нравом. В семье Чарли играл роль миротворца и посредника в переговорах, он делал все, что было в его силах, чтобы все жили в согласии, без взаимных претензий и обид. Чарли отдавал себе отчет в том, насколько разные люди его родители, а уж когда возникали ссоры между мамой и кем-то из сестер, то не кто иной, как Чарли, брался улаживать конфликты и добивался перемирия.

Вероника слыла первой мятежницей и горячей головой и исповедовала порой весьма одиозные политические взгляды, а вот Вирджиния, по словам сестры, являла собой «сплошное недоразумение». Как правило, ее больше волновало то, как она выглядит, а не какие-то мудреные вопросы политики или общественной жизни. Джинни воспринимала жизнь как источник удовольствий и не желала обращать внимание на ее сложности.

По вечерам Вероника с Гарри затевали долгие бурные дискуссии, хотя чаще всего в конце концов приходили к полному согласию. Вирджиния же была совершенно иного склада, она никогда не проявляла интереса к этим спорам и могла часами листать журналы мод и читать светскую хронику о жизни голливудских звезд. Иногда даже поговаривала о будущей карьере модели или актрисы. А Вероника мечтала о юридическом образовании — решила пойти по стопам мамы и Гарри — и после университета собиралась заняться политикой.

Чарли насчет своего будущего пока еще ничего не решил, хотя до диплома ему оставался всего год. Подумывал после выпуска пойти работать к отцу в семейный инвестиционный банк, а может, продолжить учебу в Европе.

А маленький Макс, любимец всей семьи, своими невинными проделками умудрялся снять любую напряженность. И, конечно, никто не упускал случая потискать его в объятиях. Все старшие его обожали, он вообще обладал свойством располагать к себе любо-

го человека. Его любимым времяпрепровож-
дением было крутиться возле мамы на кухне,
валяться на полу с книжками, рисовать или,
если мама занята, строить что-то из конструк-
тора «Лего». Его нетрудно было увлечь лю-
бым занятием, все его радовало. Максу был
по душе этот мир, а больше всего — населяю-
щие его люди.

Олимпия протянула сыну фруктовое мороженое на палочке и печенье, а сама принялась просматривать пришедшую почту, потя-
гивая холодный чай.

Ко всеобщей радости, всю последнюю неделю погода стояла прекрасная. Наконец-то
пришла весна. Олимпия всегда с нетерпением ждала наступления теплых дней, от долгих
зимних холодов она уставала. К маю уже изне-
могала от пальто, сапог, детских комбинезо-
нов, варежек и невесть откуда берущихся ап-
рельских метелей.

Сейчас она не могла дождаться, когда наконец придет лето и они отправятся в Европу. Так хотелось насладиться солнцем, теп-

лом, морем! Втроем с Гарри и Максом они проведут две недели на юге Франции, после чего встретятся с девочками в Венеции. В Нью-Йорке к этому времени уже установится нестерпимая жара. А до отъезда Макса предстоит водить в городской лагерь, где он от души насладится любимым рисованием и лепкой.

Макс, с потеками фруктового мороженого на подбородке и футболке, сосредоточенно жевал печенье. Олимпия в этот момент взяла в руки последнее письмо из пачки корреспонденции и отставила кружку с чаем. Это был большой конверт бежевого цвета, в каких обычно рассылают приглашения на свадьбу или юбилеи, но Олимпия точно знала, что никто из их знакомых не предупреждал их о грядущих торжествах.

Она вскрыла конверт. Макс замурлыкал себе под нос только что разученную в школе песенку. В конверте действительно оказалось приглашение, но не на свадьбу и не на юбилей, а на бал, который должен был состояться весьма не скоро — в декабре. Это было совершенно особенное событие, бал дебютанток. Помнится, на таком же балу она блистала в свои восемнадцать. Бал назывался Аркадами — по названию фамильного поместья семьи Астор, в котором он когда-то впервые и состоялся. Имения уже давно не было, а название сохранилось. В конце девятнадцатого века первый такой бал устроили несколько самых аристократических родов Нью-Йорка.

Тогда подобные мероприятия преследовали цель представить свету молоденьких дебютанток, чтобы облегчить им знакомство с будущими возможными женихами. За прошедшие сто двадцать пять лет назначение мероприятия, естественно, изменилось. Теперь молодые девушки «выходили в свет» задолго до своего восемнадцатилетия, никто не прятал их от посторонних глаз за школьными стенами. Сейчас бал дебютанток воспринимался скорее как дань традиции, как развлечение, ритуал, праздник юных красавиц, принадлежащих к так называемому светскому обществу, и повод хоть один раз в жизни предстать в белом вечернем платье.

В чем-то этот бал был схож со свадебным торжеством, с ним были связаны многие установившиеся традиции — такие, как изящный реверанс при входе в зал через арку из цветов, непременный первый танец с собственным отцом, и всякий раз это был благородный и величественный вальс, как и во времена Олимпии, и за много лет до этого. В жизни девушек, для которых Аркады становились первым выездом в свет, это было незабываемое событие, память о котором они хранили всю жизнь. Ничто не могло всерьез омрачить этого события — ни неумеренные возлияния некоторых гостей, ни ссора с кавалером или какая-нибудь катастрофа с платьем перед самым выходом. Если оставить в стороне все эти досадные мелочи, бал оставался в памяти приглашенных как удивительный вечер, и, хотя этому торжеству была свойственна некоторая старомодность и нарочитая претенциозность, никого это не смущало. Олимпия до сих пор частенько вспоминала собственный дебют и предвкушала радость дочерей от этого приглашения.

Однако это событие будет еще не скоро, а пока все пойдет своим чередом. Но девочки, конечно, будут с нетерпением ждать этого бала. Олимпия понимала, какие чувства, какое волнение может испытывать девушка, впервые выезжающая в свет. Аркады были своеобразной вехой в жизни, рубежом и дверью во взрослую жизнь. Олимпия хорошо понимала и то, что Чонси намеревается представить своих дочерей обществу. Он и мысли не допустит, что по какой-либо причине их дебют не состоится. В отличие от Олимпии он рассматривал дебют своих дочерей как деловое мероприятие, которое может повлиять на их дальнейшую судьбу и успех в обществе. А романтический ореол первого бала, как его рисовала память Олимпии, для Чонси не существовал вовсе.

Олимпия заранее знала, что Вероника

воспримет известие с недовольным ворчанием, а Вирджиния придет в такое возбуждение, что немедленно бросится на поиски самого великолепного бального платья.

Давно уже и речи нет о том, чтобы присматривать женихов на балу дебютанток. Там можно лишь закрутить роман, который лишь в редких случаях перерастает в замужество, да и то намного позже. Девушки теперь появляются на балу в сопровождении родных или двоюродных братьев или школьных кавалеров. Приятеля приглашать на эту роль не рекомендуется — все уже давно поняли, какими это чревато осложнениями, тем более что подавать сведения о приятеле или бойфренде, а следовательно, приглашать его полагается за полгода до самого бала. В восемнадцать лет даже самая пылкая влюбленность, кажущаяся в июне всепоглощающей, едва ли способна продлиться до декабря, тем более что юным леди предстоит отъезд в колледж, где их ждут новые друзья и новые увлечения. Да и сам смысл этого бала теперь заключался лишь в том, чтобы порадовать дебютанток и их родных, оставить им чудесное воспоминание, поэтому ждать от него каких-то серьезных последствий в плане устройства личной жизни вряд ли оправданно.

Олимпия не удивилась полученному приглашению, но невольное удовлетворение, что она держит его в руках, вызвало у нее улыбку. За последние годы она настолько отдалилась от светской жизни, что у нее даже стало появляться смутное, хоть и ничем не подкрепленное опасение, что ее девочек могут вычеркнуть из списка. Обе оканчивали Спенс — школу, где учились девочки из самых известных и состоятельных семей. И всем им предстояло в первый год после окончания школы, когда им как раз исполнялось восемнадцать лет, участвовать в тех или иных мероприятиях дебютанток. Правда, для менее родовитых выпускниц устраивались балы попроще. Аркады же всегда считались главным событием для дебютанток нью-йоркского избранного общества.

Двадцать семь лет назад такой же первый бал до глубины души потряс Олимпию, задолго до нее на Аркадах дебютировали ее мать, обе бабушки, прабабушки и прапрабабушки. И теперь она была счастлива разделить семейную традицию со своими дочерьми, и не имело никакого значения, что весь мир, да и ее собственная жизнь, с тех пор очень и очень изменились. Теперь многие женщины стали вполне самостоятельными, работают, делают успешную карьеру, в браки вступают все позже, а остаться незамужней не считается зазорным. Избранников давно не оценивают по голубой крови, во всяком случае, для Олимпии происхождение ее избранника не имело значения. Главное, чтобы спутник жизни был порядочным, серьезным, надежным и умным человеком, любил и уважал жену — вот чего она от души желала своим девочкам. В идеале ей бы хотелось, чтобы ее будущие зятья были похожи на Гарри, а не на Чонси Уокера. А первый бал — это всего лишь повод принарядиться, надеть роскошное белое платье в пол и белые перчатки выше локтя. Кто знает, может, такая возможность кому-то выпадет только один раз в жизни?! Так пусть будет хотя бы этот единственный раз...

Олимпия уже предвкушала, как станет помогать Веронике и Вирджинии с выбором платьев. Это обещает быть делом нелегким, ведь вкусы у дочерей такие разные. Хотя можно считать, что Олимпии в некотором смысле повезло: готовя к выходу в свет своих близняшек, она имеет шанс получить двойное удовольствие.

Она мечтательно смотрела на приглашение, а по губам блуждала смутная улыбка. Макс удивленно поглядывал на мать. С ней происходило что-то непонятное: она была здесь, совсем рядом, но казалось, что она отправилась в свое, неведомое ему, путешествие. И выглядит она по-другому — не его взрослая и серьезная мама, а маленькая смущенная девочка с робкой улыбкой на лице. Да так оно и было. Сейчас, когда на нее нахлынули воспоминания, Олимпия будто вновь почувствовала себя совсем юной девушкой, и сын смотрел на нее с нескрываемым любопытством. Видно было, что она вспоминает о чем-то приятном.

— Мам, это у тебя что? — спросил Макс, ладошкой стер с подбородка подтаявшее мороженое, после чего, недолго думая, вытер руку о джинсы.

— Приглашение твоим сестрам, — ответила Олимпия, возвращаясь к реальности, и положила приглашение обратно в конверт.

В голове мелькнуло, что надо будет попросить людей из оргкомитета дать и второе приглашение, чтобы потом можно было поместить приглашение каждой из дочерей в памятный фотоальбом — такой же, как был у нее на память о ее собственном дебюте. Где-то он до сих пор лежит наверху в книжном шкафу. Настанет и в их жизни день, когда они вот так же с умилением станут вспоминать свой первый бал и рассказывать о нем своим дочерям. Дочери, когда были маленькие, то и дело смотрели ее альбом. Помнится, им было лет по пять, когда Вирджиния всем говорила, что ее мама настоящая принцесса.

— Приглашение? На день рождения? — Макс был заинтригован. — Их зовут в гости?

— На светский бал, — терпеливо объяснила Олимпия. — Это такой большой праздник, куда все являются в красивых белых платьях. Это называется «выход в свет». — Олимпия произнесла это таким тоном, будто речь шла о первом бале Золушки. Собственно, так оно и было.

— Выход? Откуда? — продолжал допытываться Макс, явно озадаченный. Олимпия рассмеялась.

— Хороший вопрос. Вообще-то никто ниоткуда не выходит. Раньше так говорили, имея в виду, что девушки впервые выезжают из дома, чтобы найти себе жениха. Теперь они просто едут на праздник и весело проводят там время.

— А что, Джинни и Вер собрались жениться? — забеспокоился Макс. Он знал, что сестры уезжают учиться, но жениться — это кое-что посерьезнее. Неужели они уедут насовсем?!

— Про девушек говорят «выйти замуж». «Жениться» — это про мужчин, потому что они берут себе *жен.*

— И поэтому называется «жених»? — допытывался малыш.

— «Жених» — это до свадьбы, а потом он уже называется «муж».

— А зачем им искать женихов? Они больше не хотят с нами жить?

— Ну, что ты, зайчик, этого ни у кого и в мыслях нет! Просто девочки нарядятся в вечерние платья и поедут на бал. И мы с папой поедем. Папа будет с ними танцевать, и их папа — тоже. И бабушка Фрида поедет. А потом мы все вернемся домой.

— И это все? Фу, скука! — поморщился Макс. На его взгляд, день рождения куда веселее. — А мне тоже надо будет ехать?

— Нет. Пускают только взрослых.

Это была одна из традиций мероприятия — до восемнадцати лет туда никого не приглашали, младшим братьям и сестрам вход был заказан. Вот старшие — пожалуйста.

Одна из дочерей, подозревала Олимпия, захочет, чтобы ее сопровождал Чарли, а с кем поедет вторая, оставалось лишь гадать. Скорее всего — с кем-то из приятелей. Ну, да это их дело. Она лишь могла предположить, как распределятся роли: Вероника наверняка позовет с собой брата, а Вирджиния — какого-нибудь дружка.

Ответить на приглашение нужно было в течение месяца, но Олимпия решила, что тянуть с ответом незачем. На той неделе надо будет послать подтверждение и чек. Взнос с участниц брали небольшой, средства направлялись на конкретные благотворительные цели.

Попасть же на бал за деньги было невозможно. Здесь решало не состояние, а соответствие определенным критериям: имели значение либо наследство, как в случае с ее девочками, либо аристократическое происхождение, чему ее дочери также соответствовали, хотя Олимпия никогда не кичилась своими благородными корнями. Для нее это была данность, некое присущее их семейной истории и образу жизни качество. Она никогда всерьез об этом даже не задумывалась. Если Олимпия чем и гордилась, то не своей «голубой кровью», а собственной семьей и тем, чего сумела сама добиться в жизни.

Макс наконец покончил с печеньем и отправился в свою комнату играть. Позвонил Гарри, предупредил, что домой вернется поздно: после слушаний у него назначено совещание с двумя коллегами-судьями. Так что сообщать мужу о полученном приглашении Олимпия пока не стала. Впрочем, это хоть и приятная новость, но далеко не вселенского масштаба. «Вечером расскажу, — решила Олимпия, — а сначала обрадую дочерей».

Олимпия взглянула на часы — пора было везти Макса на футбол, они почти опаздывали.

После тренировки заскочили в супермаркет, а когда вернулись домой, девочки уже были дома. Обе собирались отправиться гулять, каждая со своей компанией. Гарри вернулся позже, чем предполагал, Олимпия в это время хлопотала у плиты. Девочки же очертя голову пронеслись мимо — только их и видели.

Бледный Макс неожиданно появился на кухне и пожаловался, что ему нехорошо, и его стало рвать. Только в половине одиннадцатого уложили его в постель, и обессиленный малыш наконец уснул.

Гарри выглядел уставшим и отказался от позднего ужина. Олимпия убрала еду в холодильник, а сама подсела на диван к мужу и положила голову на плечо. За вечер, после всех треволнений с сыном, ей дважды пришлось переодеваться. Олимпия успела принять душ, но вид у нее все равно был неважный, Гарри же хмуро взирал на папки с бумагами, которые принес домой, чтобы поработать с делами в выходные.

Он поднял глаза и улыбнулся, радуясь, что

после суматошного вечера может наконец побыть в тишине наедине с женой.

— Добро пожаловать на грешную землю, —
горько усмехнулась Олимпия. — Прости, что
не удалось по-человечески поужинать.

— Ерунда, я не голоден. А ты бы съела чего-нибудь, — великодушно предложил он.

Хотя Олимпия общепризнанно и считалась хорошей хозяйкой, Гарри любил возиться у плиты и отличался куда большей кулинар-
ной изобретательностью. Особенно ему уда-
вались тайские блюда, и в тяжелую минуту он
неизменно вызывался приготовить для семьи еду — особенно если у Олимпии выдава-
лась трудная неделя и она засиживалась на работе допоздна, что, вообще-то, происходило
редко, или когда с детьми что-нибудь случалось, как, например, сегодня с сыном. Хотя,
надо признать, возможность проявить себя
в домашнем хозяйстве выпадала Гарри нечасто.

Олимпия покачала головой. Есть ей совсем не хотелось.

— С Максом, надо полагать, ничего серьезного? — обеспокоенно спросил Гарри.

— Надеюсь. Набегался, как угорелый, на тренировке, да еще пару раз в живот пихнули. Другой вариант — вирус. Надеюсь, у них в школе нет никакой эпидемии.

Имея в доме четверых детей (или троих, как в данный момент), они уже привыкли к подобным неожиданностям. Дети подхватывали болячки то и дело. Так происходило из года в год, пока они подрастали. Гарри это поначалу приводило в ужас, но и он постепенно привык.

Наутро Максу легче не стало, напротив, у него даже поднялась температура, из чего Олимпия сделала вывод, что виной всему все-таки не футбол, а грипп. Она отправилась в видеопрокат запастись для мальчика фильмами, а Гарри остался с сыном. После обеда малыш долго спал.

Девочки почти все выходные отсутствовали, Джинни даже ночевать осталась у подружки. Они уже вышли на финишную прямую, до аттестата было рукой подать, жизнь в них била ключом, и желание общаться нарастало перед расставанием со школой.

Только в воскресенье вечером вся семья наконец снова оказалась в сборе. Максу стало лучше, и все собрались в кухне за столом. Гарри и Вероника играли с Максом в карты, Джинни углубилась в чтение модного журнала, а Олимпия занималась ужином. Она обожала эти семейные посиделки, ей нравилось стоять у плиты и видеть рядом всех своих близких. Вот поэтому они и отвели в своем доме такое большое помещение под кухню.

Олимпия извлекла из духовки двух подрумянившихся кур и вспомнила о полученном еще в пятницу приглашении. Впервые за двое суток!

— Господи, я же совсем забыла вам сказать что-то очень важное. Дорогие мои дочери, — произнесла она и поспешно наклонилась к духовке, чтобы вынуть сковороду с запеченной картошкой. Олимпия хотела в полной мере насладиться эффектом от сделанного сообщения и, предвкушая восторги дочерей, медленным взглядом обвела свое семейство.

Вероника подняла глаза. Она знала, что такое Аркады, в школе как раз на днях был об этом разговор. Приглашения были разосланы, а значит, все, кому предстоял первый выезд в свет, уже были оповещены и активно это обсуждали.

— Какая глупость! — проворчала Вероника и сдала карты. Они играли в детскую игру, Макс, конечно, выигрывал, отчего бурно радовался. Он обожал одерживать верх над старшими.

— Мам, что ты сейчас сказала? Повтори! — оживилась Джинни.

Обе сестры были очень хороши собой, яркие голубоглазые блондинки. У Джинни распущенные длинные волосы струились по плечам, она сейчас была слегка подкрашена. Вероника предпочитала строгую косу, не тронутое косметикой лицо ее сияло чистотой, она никогда не испытывала желания приукрасить себя искусственно — ни сейчас дома, когда играла с отчимом и братишкой, ни в другое время.

Будучи очень похожими друг на друга внешне, девочки придерживались абсолютно различных стилей в одежде. Что облегчало всем окружающим их узнавание. Особенно радовался этому Гарри. Если бы сестры носили одинаковые вещи и прически, он бы наверняка их путал. Честно говоря, вряд ли кто-нибудь мог бы в ином случае определить, кто из них кто, кроме их собственной матери да, может быть, старшего брата. Даже Макс путал сестер, навлекая на себя массу беззлобных насмешек.

— Я сказала, что вам пришло приглашение на бал дебютанток Аркады, который состоится в декабре. В пятницу принесли. — Олимпия постаралась произнести фразу как можно сдержаннее, скрывая свою радость и гордость за дочерей.

Она сдобрила картошку маслом и разрезала кур на куски. Салат был уже приготовлен и выложен в прозрачную салатницу.

— Но ты же не ждешь, что мы пойдем, а? — нахмурясь, буркнула Вероника.

Олимпия ничего не сказала в ответ, а Вирджиния расплылась в широкой улыбке.

— Мам, круто! Я боялась, нас вообще не позовут. В школе девочки тоже получили приглашения на прошлой неделе. — Вирджиния до сих пор не забыла, как отец когда-то язвительно заметил, что переход их матери в иудейскую веру может сделать их изгоями в высшем обществе. Она тогда не поняла, шутил ли отец или говорил всерьез, но слова его прочно засели в ее головке.

— И нам в пятницу принесли. У меня просто из-за болезни Макса из головы вылетело, — оправдывалась Олимпия.

— Когда едем платья выбирать? — оживленно спросила Джинни — в точности, как и ожидала Олимпия. Она повернулась к дочерям с улыбкой, но тут опять подала голос Вероника:

— Платья? Ты что, спятила? — Вероника

вскочила и с негодованием воззрилась на сестру. — Ты что, собираешься участвовать в этом снобистском фарсе? «Сливки общества»! Джинни, я тебя умоляю, отвлекись ты от своих голливудских журналов хоть на пять минут! Тебя ведь приглашают не для того, чтобы ты денек посидела на троне. И не чтобы награду вручить. Тебя приглашают выразить свое отношение к тем, кто не является «белым англосаксом протестантской веры». Ты выставишь себя полной идиоткой, если будешь участвовать в этой самой что ни на есть отвратительной, допотопной и сексистской традиции!

Вероника выпрямилась во весь рост и метала молнии, а растерянные мать и сестра с недоумением взирали на нее. Олимпия была готова к тому, что Вероника немного поворчит, но такого всплеска возмущения никак не ожидала.

— Вероника, успокойся! Не стоит впадать в крайности. Тебя же не зовут участвовать в марше неофашистов! Это всего лишь светский бал. Праздник!

— Да какая разница? В Аркадах разве участвуют афроамериканцы? Или евреи? А может, латиносы или азиаты? Да как ты, мам, можешь быть такой лицемеркой? Ты же иудейка, ты замужем за Гарри! Если ты нас заставишь это сделать, это будет ему настоящая пощечина.

Вероника кипела благородным гневом, а Вирджиния готова была разреветься.

— Да какая пощечина? Абсолютно невинный бал дебютанток! Пофорсите в нарядных белых платьях, потанцуете, выйдете на поклон, развлечетесь от души. Кроме того, я понятия не имею, кто еще там будет и к какой расе они относятся. Я уж и не припомню, как это было, когда я участвовала в таком мероприятии.

— Не говори ерунды, мам! Ты прекрасно знаешь, что туда пускают только белых англосаксов, и единственная цель этого, как ты говоришь, «мероприятия» — чтобы всяк сверчок знал свой шесток. Ни один порядочный человек туда носа не покажет. И я не поеду! Мне плевать, что ты сейчас скажешь или что скажет Джинни, но я никуда не поеду! — Вероника стояла насмерть, а Вирджиния все-таки расплакалась.

— А ну-ка, успокойтесь! — приказала Олимпия негромким, но твердым голосом. Подобная болезненная реакция Вероники начинала ее раздражать, в то время как Гарри озадаченно взирал на спорящих.

— Могу я полюбопытствовать, из-за чего, собственно, сыр-бор? Если я правильно понял, девочки получили приглашение на сборище, организованное ку-клукс-кланом или Святой Инквизицией, и Вероника отказывается идти?

— Вот именно! — поддакнула дочь, гневно расхаживая по кухне, тогда как Джинни с мольбой взирала на мать, ища поддержки.

— Ты считаешь, мы не должны пойти? — спросила она в панике. — Мам, не позволяй ей все испортить... Все же пойдут! Две наши девочки в эти выходные уже платья в «Саксе» себе купили! — Джинни, судя по всему, и так уже волновалась, что ее опередили.

— А ну-ка, обе успокойтесь! — повторила Олимпия, накрывая стол.

Она протянула Вирджинии салфетку, всем своим видом стараясь излучать невозмутимость, которой вовсе не испытывала. Обе дочери удивили ее своей чрезмерно эмоциональной реакцией.

— Мы все обсудим. Это не сборище ку-клукс-клана, пойми же ты, Вероника! Это бал, когда вы впервые выходите в свет. Ваш первый бал! Я была приглашена на такой бал, ваши бабушки тоже. Это нечто необыкновенное, на всю жизнь у вас останется память об этом событии.

— Да я скорее умру! — вскричала Вероника.

— Мам, а я хочу пойти! — вскочив из-за стола, крикнула Джинни и разрыдалась.

— Еще бы! — закричала на сестру Вероника. Теперь и у нее в глазах стояли слезы. — Более идиотской затеи в жизни не видела!

Устроить такое в наше время! Это оскорбительно! Мы выставим себя снобками, расистками и полными дебилками! Я скорее пойду на марш мира или буду копать канавы в Аппалачах или Никарагуа — да где угодно, лишь бы не надевать ваше дурацкое белое платье и не выпендриваться перед толпой тупых, высокомерных людей, исповедующих отсталые политические взгляды! Мам, — повернулась она к матери с ледяным взглядом, — я никуда не поеду! Можешь делать со мной, что хочешь. Не поеду — и точка! — Тут она с отвращением прищурилась на сестру. — А ты, если хочешь, иди, покажи всем этим сливкам общества, которые давно прокисли, что ты такая же тупая и пошлая, как они.

С этими словами Вероника бросилась прочь и, хлопнув дверью, заперлась у себя в комнате. Джинни стояла посреди кухни и хлюпала носом.

— Вот всегда она так! Мам, не разрешай ей! Вечно она все портит!

— Пока что она ничего никому не испортила. Вы обе принимаете все слишком близко к сердцу. Давайте-ка пару дней подождем, пока страсти улягутся, а потом вернемся к этому разговору. Она остынет. Ты только к ней не приставай!

— Нет, не остынет! — со страдальческим лицом возразила Джинни. — Коммунистка! Ненавижу!

Теперь уже Джинни в слезах выбежала из кухни, а через мгновение хлопнула дверь и в ее комнату. Гарри в полном недоумении воззрился на жену:

— Можешь хоть ты мне объяснить, что происходит? Скажи, ради бога, что такое Аркады? И что это у нас с девицами? — Гарри был искренне потрясен всем увиденным. Никогда прежде он не видел девочек такими разъяренными и непримиримыми.

Ответил ему Макс, невозмутимо покачивая ногой.

— Мама хочет, чтобы они нашли себе женихов, — простодушно объяснил он. — А они, по-моему, не хотят. Джинни, может, и хочет, она ведь больше мальчиков любит. А Вер, наверное, жениться не собирается. Да, мам?

— Не жениться, а выходить замуж, я же тебе объясняла. Только это тут совсем ни при чем. — Олимпия беспомощно опустилась на стул. — Раньше на таких балах действительно искали мужей. Теперь их устраивают не для того, — еще раз объяснила она сыну, после чего повернулась к Гарри. Олимпии вдруг стало нестерпимо жарко. Атмосфера в доме неожиданно накалилась до предела. Олимпия тоже разволновалась не на шутку. Она и не предполагала в Веронике такой злой ярости. Неужели девочки настолько нетерпимы друг к другу? Стараясь не показывать своего огорчения, она ответила на вопрос Гарри:

— Девочкам прислали приглашение на бал Аркады. Почтальон в пятницу принес. Я обрадовалась, думала, они будут счастливы отправиться на бал. Я сама в свое время была на таком балу. Веселый, красивый праздник, и ничего больше. Никакого вызова, никаких демонстраций... Честно говоря, не понимаю, из-за чего Вероника подняла такой шум.

— Постой-постой! Я все-таки не понял. Какие еще Аркады? Мне известны только *арки* в эмблеме «Макдоналдса». Едва ли мы спорим из-за того, идти им в «Макдоналдс» или нет. Что-то мне подсказывает, что речь о чем-то другом.

— Аркадами называется традиционный рождественский бал дебютанток, — снова начала свои объяснения Олимпия. — Это самый старый и самый престижный бал в Нью-Йорке. В обществе ему придают большое значение. А когда я была в их возрасте, придавали еще больше. Моя мать тоже дебютировала на таком балу, а до нее — обе мои бабушки. А теперь это не более чем торжественный праздник, обставленный в старинном духе, дань старомодной традиции. Совершенно невинное светское мероприятие. Девушки надевают бальные платья и танцуют с отцами первый танец — вальс. А Вероника приплела сюда какой-то несуществующий политический подтекст. Ничего такого там и в помине нет! Просто праздничная вечеринка, правда, шикарная, но и только. Джинни очень хочется пойти, и я ее понимаю.

— А туда любой может явиться? — осторожно спросил Гарри.

— Нет, необходимо приглашение. Девочки его получили, потому что они из достойной благородной семьи, — без всякой задней мысли ответила Олимпия.

— А тем, кто принадлежит к другой расе или вере, туда вход заказан? — еще точнее сформулировал свой вопрос Гарри.

На этот раз Олимпия помедлила с ответом. Макс, уминая свою картошку, с интересом поглядывал на родителей и даже не замечал, что у него по груди течет растопленное масло.

— Может быть. Раньше было так. Как теперь, я не знаю.

— Судя по реакции Вероники, она осведомлена лучше тебя. Если то, что она говорит, правда и людей с желтой или черной кожей туда не пускают, тогда я с ней согласен. Полагаю, девушек из еврейских семей тоже не приглашают?

— Гарри, ради бога! Да, это светский бал. Такие балы проводятся с незапамятных времен. Он старомодный, традиционный, с англосаксонским уклоном, но так же устроены и все клубы — да мало ли что еще! Возьми, к примеру, Социальный реестр — никто же не возмущается, что в этот справочник вносят только потомков аристократических фамилий! Что же ты против мужских клубов не выступаешь, туда же женщин вообще не пускают?

— Я в них не состою, — лаконично ответил Гарри. — Я судья апелляционного суда и не могу позволить себе членство в какой-либо организации дискриминационного толка, а этот твой бал, как я понял, как раз относится к таковым. Мое мнение на этот счет тебе известно. Ты считаешь, если бы у нас с тобой была дочь и организаторы знали, что ты теперь иудейка, ее бы пригласили?

Непростой вопрос. Но ведь девочки не принадлежали к иудейской вере, а их родители происходили из влиятельных аристократических англосаксонских семей. И дочери у них с Гарри нет. Так что вопрос был сугубо теоретический. Что Олимпия знала наверняка, так это то, что Чонси захочет, чтобы его дочери появились на этом балу. И придет в ужас, если этого не произойдет. Да и сама она, при всех ее либеральных взглядах — особенно в сравнении с убеждениями ее бывшего мужа и его второй жены, — не видела в этой традиции ничего предосудительного и считала ее вполне невинной. Гарри, по ее мнению, преувеличивает. Как и ее дочь.

— Я понимаю, что вы имеете в виду, когда говорите о дискриминации. Но этот бал устраивается не для того, чтобы кого-то оскорбить — просто чтобы доставить девочкам удовольствие. Это их первый бал, представляешь? Это все равно что почувствовать себя Золушкой на балу, где все танцуют в красивых белых платьях, а в полночь бал заканчивается и все возвращаются к своей обычной жизни. И что ужасного в этом коротком празднике молодости и легкого флирта?

— Все дело в том, что одни веселятся, а другие остаются за бортом. На таких принципах строилась нацистская Германия. Это дискриминационное мероприятие в арийском духе, там тоже приглашали девушек только «голубых» кровей. Может, нескольких евреек и пригласят, чтобы соблюсти видимость, но сам дух этого бала порочен, его принципы — ложные! Евреи подвергаются дискриминации на протяжении тысячелетий, и я против продолжения этой традиции! В наше время дискриминация позорна, туда должен иметь возможность явиться любой человек, если у него есть такое желание.

— В таком случае и все клубы надо позакрывать! И частные школы! Ладно, согласна, пусть это будет мероприятие узкого круга англосаксов, которые вывозят в свет своих дочерей. Но зачем приплетать сюда политику?

Почему не признать, что это просто праздник для девушек, и на том успокоиться?

— Мои родители пережили Холокост, — мрачно проговорил Гарри. — Тебе это известно. Всю их родню уничтожили люди, ненавидевшие евреев. Те, кто устраивает этот бал, тоже расисты — насколько я могу понять. Это противоречит всем моим убеждениям и принципам. И я не хочу иметь ничего общего с подобным мероприятием! — Муж говорил таким тоном, словно Олимпия на его глазах нарисовала на стене кухни свастику. Он только что не шарахался от нее, и все это — в присутствии маленького сына, который, кстати сказать, неожиданно расплакался, видя, что родители ссорятся.

— Гарри, прошу тебя, не надо все утрировать! Это бал дебютанток, только и всего. Его устраивают для своих подросших дочерей взрослые солидные люди. Только и всего!

— Что бы ты ни говорила, Вероника права! — подвел черту Гарри и резко встал. К еде он так и не притронулся.

Не дождавшись, когда ему порежут мясо на кусочки, присмиревший Макс принялся мять вилкой вторую картофелину. Ну когда же мама обратит внимание на него!

— Я считаю, девочки не должны в этом участвовать! — убежденно произнес Гарри. — Вряд ли твое присутствие на подобном мероприятии может быть убедительным доводом. Я целиком поддерживаю Веронику. И каково бы ни было твое решение, на меня можешь не рассчитывать.

С этими словами он швырнул салфетку на стол и вышел, а Макс, в недоумении уставившийся на отца, перевел встревоженный взгляд на мать.

— По-моему, этот бал — плохая затея, — вздохнув, произнес малыш. — Все так рассердились!

— Да уж... — кивнула Олимпия и тяжело опустилась на стул. — Понимаешь, — повернулась она к мальчику, — это всего лишь вечеринка. И чего они так раскипятились?! —

У Олимпии остался единственный слушатель и тот пяти лет.

— И там будут мучить евреев? — забеспокоился Макс.

Его бабушка Фрида говорила, что люди, которых называют нацистами, творили страшные вещи. Макс запомнил, что много страшных вещей совершалось по отношению к евреям. А еще он знал, что его родители исповедуют еврейскую веру — как и его бабушка, и многие ребята в школе.

— Да ты что! Никто там не собирается мучить евреев! — воскликнула потрясенная Олимпия. — Говорю же тебе, это будет такой специальный праздник для молодых девушек. А у нашего папы настроение плохое, он очень устал на работе. Сам подумай, Макс, ну что плохого может быть в празднике? Ты же сам ходил на праздники и знаешь, как там бывает весело и интересно.

— Правда, — немного успокоился Макс. — Но папа и Вер все равно туда идти не хотят, да? А вот Джинни, по-моему, обрадовалась, ей так хочется купить новое платье.

— Ты прав, малыш. Уж не знаю, как они решат, но, по-моему, отказываться не стоит.

— Даже если вы им там женихов не найдете? — Макса одолевало любопытство.

— Даже если не найдем, — невесело улыбнулась Олимпия. — Зайчик, я тебе уже говорила, никто не собирается искать им женихов. Мы только хотим, чтобы они повеселились и потанцевали в красивых длинных платьях.

— Нет, я думаю, папа не поедет, — все переживал Макс. Олимпия наконец порезала ему курицу. За столом они сидели вдвоем, Макс с видимым удовольствием поглощал курицу, а вот у Олимпии аппетит совсем пропал.

Олимпия попыталась представить себе, что ей предстоит услышать от Чонси, если девочки откажутся от дебюта. В своих убеждениях Чонси и Гарри были антагонистами. И ее прошлая и настоящая жизнь, олицетворением чего служили ее мужья, тоже не имела между собой ничего общего. Единственной ниточкой между ними была она сама.

— Я все же надеюсь, что папа поедет, — тихо сказала Олимпия. — Там будет весело!

— Нет, мама, он не поедет, — возразил мальчик и с серьезным видом покачал головой. — Я думаю, не надо им ни в какой свет выходить! — Макс округлил глаза. — Пусть лучше дома сидят!

Этот накаленный спор так взволновал Олимпию, что теперь она и сама не знала, как отнестись к полученному приглашению.

Глава 2

Олимпия решила поговорить со своим бывшим мужем безотлагательно. По крайней мере, она подготовит почву и постарается выяснить, какова будет его реакция. В понедельник она с работы позвонила Чонси. Олимпия не стала вдаваться в подробности, а лишь сказала, что Вирджиния в восторге от полученного приглашения, а Вероника вряд ли захочет появиться на балу. И прибавила, что, скорее всего, она не изменит своего решения.

А этим же утром за завтраком разразился еще один скандал. Вероника заявила, что, если мать будет настаивать на ее участии, она переедет жить к бабушке Фриде. Как ни странно, Гарри поддержал ее, а потом еще и подлил масла в огонь, заявив, что и Вирджинии нечего делать на этом балу, так что Джинни ушла в школу вся в слезах, успев перед уходом заявить отчиму, что ненавидит его. В результате вся семья оказалась ввергнута в гражданскую войну.

Накануне вечером Вирджиния позвонила брату. Тот с пониманием отнесся к тому, как восприняла предстоящий бал Вероника, однако же встал на сторону матери и Джинни и сказал, что быть на балу должны они обе. Все их двоюродные и троюродные сестры в Ньюпорте уже прошли через это, к тому же Чарли, как и Олимпия, прекрасно понимал, как расстроится отец, если Вирджиния с Вероникой проигнорируют свой первый светский бал, участие в котором было их законным правом и, более того, непреложной обязанностью.

Одним словом, было совершенно непонятно, как можно было урегулировать эту ситуацию таким образом, чтобы все остались довольны.

Олимпия и Гарри практически не разговаривали, когда уходили сегодня на работу, что, вообще-то, было само по себе редчайшим случаем. Они бы и сами не могли вспомнить, когда ссорились в последний раз. Но сейчас война разгорелась нешуточная.

Олимпия хорошо знала своего бывшего и правильно просчитала его реакцию. Чонси завелся с первой же фразы:

— Олимпия, да у тебя не дом, а шайка бунтарей левацкого толка! Вы чему там детей учите, если Вероника воспринимает традиционный бал дебютанток как наступление на права неимущих? Какое-то сборище коммуняк! — разорялся Чонси.

Другой реакции от него Олимпия и не ждала.

— Чонси, я тебя умоляю, они же еще дети! Легко впадают в эмоции. Вероника у нас всю жизнь стоит на защите униженных и обездоленных. То она — Че Гевара, то — Мать Тереза. Повзрослеет — образумится, а пока она так самовыражается. Думаю, что семи месяцев ей хватит, чтобы успокоиться. Главное — сейчас не устраивать из этого шума. Начнем на нее давить — она упрется. Так что прошу тебя, прояви выдержку и благоразумие!

Кто-то в этой ситуации и впрямь должен был сохранять здравомыслие. Но Чонси, конечно же, такая роль не устраивала, что, впрочем, не стало для Олимпии неожиданностью.

— Ну, вот что, Олимпия, позволь тебе объяснить, как я ко всему этому отношусь, — как всегда высокопарно и назидательно, изрек он. — Я не намерен мириться с тем, что у меня растет дочь-революционерка, и считаю, что такие поползновения надо душить в зародыше. Я ни от кого не потерплю этой левацкой бредятины, надеюсь, ты понимаешь, что я имею в виду. Если она считает невозможным для себя появление на Аркадах, я откажусь платить за ее обучение в Брауне. Может вместо колледжа ехать рыть канавы в Никарагуа, или Сальвадор, или куда ей больше нравится, тогда и посмотрим, придется ли ей по нраву жизнь политического радикала. А станет вести такую жизнь, еще и в тюрьме может оказаться!

— Ни в какой тюрьме она не окажется, Чонси, не говори ерунды! — в отчаянии воскликнула Олимпия.

Ее бывший муж был настоящим столпом американского общества — упрямым и непримиримым. Никакие демократические преобразования не могли поколебать его убеждений. Может быть, в этом и крылась причина радикальных взглядов Вероники, это была ее реакция на образ жизни ее отца. Бо́льших снобов, чем Чонси и его новая жена, было трудно найти, они оба были искренне убеждены, что у всех есть пони для игры в поло — или, по крайней мере, должны быть. Они вообще считали достойными своего внимания и общества исключительно аристократов, занесенных в Социальный реестр. Это был их критерий общественной значимости, а обычные люди для них попросту не существовали.

Олимпии, как и Веронике, воззрения Чонси были абсолютно чужды. Жизненная позиция Гарри была ей близка гораздо больше, хотя и он сейчас повел себя не самым разумным образом.

— Просто у твоей дочери обостренное чувство социальной справедливости, и я не вижу в этом ничего плохого. Надо только дать ей успокоиться, а там она и сама увидит, что никто от ее выхода в свет не пострадает и обиженным себя не почувствует. Обычный светский раут, а для них — веселая вечеринка. Я тебя умоляю, не затевай с ней никаких дискуссий! Если ты только заикнешься об оплате обучения, она вполне может выкинуть какую-нибудь глупость и откажется идти в колледж.

Но Чонси, похоже, ее не слышал и гнул свое:

— Вот тебе результат брака с евреем-радикалом! — Слова бывшего мужа больно ранили Олимпию. Олимпия замерла. Господи, неужели Чонси способен сказать такое вслух?!

— Что ты сказал? — ледяным тоном переспросила она.

— Ты слышала! — отрезал Чонси, не пытаясь смягчить свою резкость.

Иногда Чонси становился похож на героев фильмов тридцатых годов — спесивых и самодовольных. Такого откровенного чванства в приличном обществе теперь уже не увидишь — люди стали считаться с переменами в обществе и вести себя по крайней мере осторожнее. В этом отношении и Чонси, и Фелиция представляли собой редкие экземпляры.

— Никогда не смей говорить мне ничего подобного! Ты и мизинца его не стоишь. Теперь я понимаю, почему Вероника стала такой — она ни за что не хочет быть похожей на тебя. Господи, ты вообще когда-нибудь давал себе труд заметить, что вокруг тебя живут и другие люди, и они ничуть не глупее тебя, они работают, не в пример тебе!

Чонси в жизни не знал, что такое работать по-настоящему. Сначала он был сыном богатых родителей, потом стал проживать наследство, а теперь, как догадывалась Олимпия, кормится с фондов своей жены. Праздная публика, праздная жизнь, одни сплошные амбиции. Может, отцовское пренебрежение ко всему и ко всем и его чванство и пытается искупить Вероника?

— Да ты просто лишилась рассудка, Олимпия, когда перешла в их веру! Никогда не мог понять, как ты смогла на это пойти. Ты же из семьи Кроуфорд!

— Нет, я из Рубинштейнов! — гневно возразила она. — И я люблю своего мужа! Мой переход в его веру был для него очень важен. А тебя это никак не касается! Моя вера — это мое личное дело, ты к этому никакого отношения не имеешь.

Она кипела от негодования и обиды. Неужели этого человека она любила?! Какое счастье, что она встретила Гарри!

— И ты пошла против всего, чем дорожили твои предки, чтобы только потрафить человеку, исповедующему более левые взгляды, чем сами коммунисты! — Чонси никак не мог уняться.

— Да о чем ты говоришь? При чем здесь все это? Мы с тобой обсуждаем бал, на который хотим вывезти наших дочерей. Ни о каких политических взглядах речи не идет, ни о твоих, ни о моих! При чем тут коммунисты? И проблема не в Гарри, а в Веронике.

— Два сапога пара!

По сути дела, Чонси был прав, но Олимпия не собиралась этого признавать. Сперва надо урезонить Веронику, а потом уж нужно будет поговорить спокойно с Гарри. Он разумный человек, и она не сомневалась, что в конечном итоге тоже изменит свою точку зрения. Чонси — другое дело, этот никогда не упустит возможности показать себя во всей красе — со своей манией величия и самодовольством. Эти качества в нем весьма успешно культивировала его супруга. Наверное, поэтому они и жили душа в душу, что исповедовали одни и те же принципы.

Олимпия отказывалась понимать, как вообще она могла выйти замуж за Чонси, пускай даже и молоденькой дурочкой. Сейчас, в сорок четыре, оглядываясь назад, она находила этому единственное объяснение — любовь ослепила и оглушила ее, лишила разума.

— Чонси, еще раз говорю тебе: не вздумай угрожать Веронике тем, что не станешь оплачивать ее учебу. Если ты это сделаешь, она выкинет какой-нибудь финт похлеще, я ее знаю. Бал — это одно, а учеба — это ее будущее! Учти, если посмеешь — я на тебя в суд подам.

Плата за обучение детей вменялась Чонси по условиям развода, но Олимпия понимала, что бывший муж вполне способен забыть о последствиях и нарушить обязательство, только чтобы настоять на своем.

— Валяй, Олимпия, подавай на меня в суд, мне плевать! Если не доведешь до Вероники моего мнения, это сделаю я сам. Можешь даже сказать, что я им обеим откажу в этих деньгах, если они обе на Рождество не появятся на этом чертовом балу. Может, это ее образумит. Она же не захочет навредить Джинни, а если откажется от бала, сестра тоже пострадает. И мне плевать на твои угрозы и суды. Я им обеим ни копейки не дам, если обе не будут на Аркадах. Можешь надеть на нее наручники, напичкать успокоительным — выбирай любой способ, но она должна дебютировать!

Упрямый осел! Взрослый человек, а ведет себя как ребенок! Надо же, обратить пустячное дело в целую войну! Все окончательно потеряли голову, и это — из-за какого-то бала!

— Это нечестно по отношению к Вирджинии. Это шантаж, Чонси! Девочка и так расстроена. Джинни хочет поехать, и не ее вина, что так все обернулось. Прошу тебя, Чонси, хоть ты прояви благоразумие!

— Считай, что я беру Вирджинию в заложницы, чтобы заставить образумиться Веронику.

Олимпия и себя уже чувствовала заложницей. Конечно же, меньше всего она хотела начинать судебную тяжбу из-за оплаты обучения дочерей. Дети ей этого не простят, Вероника может наделать глупостей посерьезнее, да и Чарли будет не в восторге от такого поворота событий. Впрочем, из уст Чонси угроза звучала вполне реально.

— Чонси, ради бога, это же непорядочно!

Речь идет всего-навсего о вечеринке, неужели из-за такой ерунды должны перессориться две семьи, а девочки остаться без колледжа?

Олимпия не стала говорить, что ей будет нелегко тянуть еще двух студентов — ведь она уже вносит часть платы за обучение сына. Не может же она требовать от Гарри взять это на себя, когда у девочек есть весьма состоятельный отец, который обязан платить за своих детей! А угроза наказать Вирджинию за упрямство сестры и вовсе несправедлива. Но Чонси привык к тому, чтобы последнее слово всегда оставалось за ним. Он всегда, даже в юности, чувствовал себя хозяином жизни. Он и в их браке всегда на нее давил и, похоже, до сих пор не расстался с этой привычкой. Но вести себя так по такому ничтожному поводу?!

— Мне не нужна такая дочь, тоже мне — возмутительница спокойствия, революционерка! Олимпия, ради бога, представь, что я скажу своим друзьям, как буду выглядеть в их глазах?!

— Это не самое страшное в жизни, — ответила она.

Но для Чонси, судя по всему, такое положение дел казалось ужасающим. Ну как же! Его соплячка-дочь опозорила отца — проигнорировала такое событие, не появилась на балу! Как она посмела идти наперекор традиции, как посмела восстать против уклада жизни нескольких поколений их несравненного аристократического рода!

Для себя Олимпия уже решила, что, если Вероника наотрез откажется участвовать, она заставлять дочь не станет. Вирджиния же отправится на бал в любом случае, с сестрой или без. Затея Чонси сделать из нее заложницу — явный перебор и большая несправедливость.

— Даже не представляю себе большего унижения и не собираюсь поддаваться ее капризам! Можешь ей так и передать, Олимпия!

— А сам не хочешь ей сказать?

Олимпии надоела роль постоянного посредника. Она, само собой, взяла ее на себя, когда дети были маленькими. Но теперь, когда они выросли, пусть Чонси сам ведет с ними переговоры. Дочь только еще больше на нее обозлится. Если Чонси так хочет довести до нее свое мнение, пускай сделает это сам.

— И скажу! — бушевал бывший муж. — Не понимаю, как ты их воспитываешь? Слава богу, хоть у Джинни еще осталась капля здравомыслия.

— Мне кажется, надо дать страстям улечься, — вновь рассудительно предложила Олимпия. — Вернемся к этой теме в сентябре. Или даже позже. А пока я пошлю подтверждение от имени обеих. И чек. — Сумма была невелика, на Аркады приглашали девушек не столько из самых богатых семей, сколько из самых аристократических. — Веронике даже не надо знать, что ее записали. Скажем ей, что все решим осенью, а за лето, может, она изменит свое решение. В ее возрасте взгляды и убеждения так быстро меняются!

— Я не хочу, чтобы она считала, что настояла на своем. Пусть оставит при себе свое своенравие! Она должна это ясно понимать!

— Воображаю... — вздохнула Олимпия, воображая, какой последует взрыв эмоций.

Нет, все-таки не стоит сводить Чонси и Веронику сейчас. Если отец ее спровоцирует, Вероника упрется и будет стоять насмерть. Чонси никогда не был деликатным в общении. Он не умел ладить с дочерьми, да и с женой тоже. Деликатности в нем было, как в грузовике. Что до его принципов, то они даже Олимпию были способны толкнуть в объятия «коммуняк», как их называл Чонси. Да куда угодно, лишь бы подальше от этого сноба!

— Если потребуются фотографии, я пошлю два фото Вирджинии. — Никто не заметит их, не отличит. — И платье ей мы выберем. Прошу тебя, Чонси, не обостряй, оставим все как есть! Я сама все постараюсь уладить.

— Да уж постарайся! Если она не отступит от своего, за дело возьмусь я!

— Спасибо, что помог, — с сарказмом произнесла Олимпия, но Чонси, похоже, не заметил ее колкости.

— Хочешь, с ней Фелиция поговорит? — вдруг спросил он.

Услышав такое, Олимпия чуть не застонала. Тактом Фелиция не отличалась, да и девочки ее никогда не жаловали. Терпели только ради отца, в душе считая противной и неумной. И Олимпия с ними не спорила.

— Я сама этим займусь, спасибо.

Олимпии удалось завершить разговор раньше, чем он окончательно вывел ее из себя, а это уже было маленькое чудо. Общение с Чонси Уокером могло довести ее либо до бешенства, либо до полного измождения. После разговоров с бывшим мужем она всегда чувствовала себя абсолютно обессиленной.

Олимпия еще не успела прийти в себя, когда позвонила свекровь. О звонке миссис Рубинштейн ей доложила секретарша.

Олимпия удивилась. С чего бы это свекровь вздумала звонить в ее офис? Вряд ли из-за бала, Гарри редко посвящает мать в свои проблемы. Впрочем, все возможно — семейство было взбудоражено. Волны после шторма могли докатиться и до Фриды.

— Добрый день, Фрида, — поздоровалась Олимпия усталым голосом. Семейные распри отняли у нее последние силы, да и на работе день выдался не из легких. — Ничего не случилось?

— Это я у тебя хочу спросить. Мне позвонила Вероника и сказала, что страшно на тебя зла и хочет переночевать у меня.

Олимпия закусила губу. Ей не понравилось, что дочь пытается убежать от домашних проблем, хотя тесные отношения девочек с матерью Гарри она всячески приветствовала. Фрида была добрая, сердечная, мудрая женщина, золотое сердце. И детей Олимпии она любила как своих.

— Звоню узнать твое мнение, как мне следует ей ответить.

— Спасибо, Фрида. Вообще-то, я бы предпочла, чтобы она эти дни побыла дома, нам надо кое-что уладить. Возраст у девочек — сама понимаешь! Вот на выходные вместе с

Максом я бы их к тебе отправила, если хочешь внука повидать.

— Отлично. Ты же знаешь, я люблю, когда они у меня. Джинни тоже пришлешь?

— Честно говоря, девочки поругались, — вздохнула Олимпия.

— Из-за чего?

— Из-за такой глупости, что даже говорить не хочется. Долго объяснять...

Фрида не стала признаваться невестке, что сын ей уже все рассказал. Он заезжал пообедать, в чем не было ничего из ряда вон выходящего, и поделился с матерью. Та восприняла проблему совершенно иначе и прямо ему об этом заявила. Сказала, что он преувеличивает, что такой бал — это только повод развлечься. Фрида никак не могла взять в толк, при чем тут дискриминация или какие-то гонения.

Гарри убежденно заявил, что это мероприятие расистского толка. Фрида возмущенно фыркнула и отчитала сына. Зачем раздувать из мухи слона? Этот бал — своего рода клубное мероприятие, сказала она. Может же существовать клуб молоденьких девушек протестантской веры. А еще Фрида напомнила сыну, что в ее отделении женской еврейской организации «Хадасса» тоже нет ни одной католички, но их за это никто не бойкотирует и не придает анафеме. Всякий клуб имеет право допускать в свои члены тех, кого считает нужным. К тому же для девочек, по ее мнению, это будет полезный опыт. Фрида считала, что Вероника должна уступить, и собиралась при первом же подходящем случае сказать ей об этом.

В ответ Гарри обвинил мать в либерализме и сразу после обеда поспешил распрощаться. На работу он вернулся в дурном расположении духа и за весь день ни разу не позвонил жене.

— Прости, что Вероника тебя побеспокоила, — извинилась Олимпия перед свекровью. — Это буря в стакане воды, но на данный момент страсти кипят и уступать никто не собирается.

— Могу я чем-то помочь? — поинтересовалась Фрида.

В этом была вся Фрида — деятельная и отзывчивая, всегда готовая к прощению, несмотря на все, что ей довелось пережить.

Олимпия искренне восхищалась свекровью. Фрида редко вспоминала вслух о своем детстве, но от мужа Олимпия знала, какой ужас она пережила, когда лишилась всех близких, и какие мучения ей выпали в концлагере. Долгие годы потом ее преследовали кошмарные сны, но у нее хватило ума обратиться к специалистам и пройти курс психотерапии. Характер у Фриды был золотой, и Олимпия испытывала к свекрови глубочайшую привязанность и уважение. Она не уставала благодарить небо за то, что оно послало ей такую свекровь.

— Боюсь, Фрида, ты тут вряд ли чем поможешь. История просто дурацкая, мне даже говорить о ней неловко. Дело в том, что девочки получили приглашение на бал дебютанток. Я в свое время тоже на таком была. Это давняя традиция, возможно, сейчас она выглядит нелепо, но для участниц это незабываемое событие. Конечно, находятся люди, как, например, мой бывший муж, которые считают, что без всей этой светской мишуры настоящий аристократ и дня прожить не может. Но это сущий вздор. Это всего лишь праздник — волшебный, трогательный бал, как в сказке про Золушку. На мой взгляд, никому от этого ни жарко ни холодно. Не буду спорить, это мероприятие для избранных, а Гарри с чего-то взял, что оно пронизано неонацистским духом. Вероника считает меня фашисткой, а Чонси объявил нас всех коммунистами и грозится не оплачивать обеим девчонкам учебу в колледже, если они вместе не явятся на Аркады. Это нечестно! Вероника еще не знает о его реакции, но утром она наотрез отказалась от бала и грозилась, что переедет жить к тебе. Дескать, из-за моих убеждений — они ей, видите ли, претят! А Джинни, наоборот, мечтает об этом бале, рвется покрасоваться. Гарри заявил, что никуда не поедет, и ничего не желает слушать. Чарли разозлился на Веронику. Сестры готовы друг другу горло перегрызть, а на меня так и вовсе ополчились все разом. Единственный человек в доме, кто еще сохраняет здравомыслие, это Макс, который заявил, что от этого бала одни неприятности и лучше бы уж девчонки никуда не ездили.

— Очень разумно! — Обе женщины посмеялись.

— Не знаю, Фрида, что теперь и делать. Это буря в стакане воды, я понимаю, но, знаешь, мне самой ужасно хочется, чтобы девочки там побывали. Ностальгия, наверное. Или дань традиции. Не думала, что все из-за этого встанут на уши. Я начинаю чувствовать себя чудовищем, что попросила их принять приглашение. Про Гарри и говорить боюсь, он меня убить готов. — Олимпия была по-настоящему расстроена, с таким трудом обретенное после разговора с Чонси спокойствие покинуло ее.

— А ты отправь их подышать воздухом, —

посоветовала свекровь. — А с Джинни прокатись по магазинам, купите платья ей и Веронике. Сыну моему скажи, чтобы поумерил свой пыл. Нацисты — это те, кто в Германии жгут синагоги, им не до светских балов. — Сама она это ему уже высказала, когда он сегодня заезжал. — Не обращай на них внимания! Веронике надо дать время выпустить пар. Этим все и кончится, помяни мое слово! Сама-то в чем пойдешь? — вдруг оживилась Фрида, и Олимпия расхохоталась. Вопрос по существу.

— В смирительной рубашке. Если мое семейство не образумится, они доведут меня до сумасшествия. — Ей вдруг пришла в голову одна мысль, и Олимпия решила немедленно узнать, как отреагирует свекровь. Она хорошо помнила, что сказал на этот счет Гарри. — А ты, Фрида, не хотела бы поехать?

— Ты это серьезно?

Свекровь опешила. Из слов сына она поняла, что это невозможно, что мероприятие это сугубо для избранных «чистых» кровей.

Вот почему сама она ни за что не стала бы задавать вопросы и приглашения не ждала. Но даже это не меняло ее убеждения, что внучки должны принять приглашение, — и это никак не связано с ее участием или неучастием.

Фрида Рубинштейн была необыкновенно тактичной свекровью, никогда не навязывала ни своего общества, ни своего мнения ни снохе, ни сыну, ни их детям. Мягкая по натуре, она с первого дня проявляла к Олимпии необычайную доброту — полная противоположность первой свекрови, которая, как и ее сын, отличалась снобизмом и зловредностью. «Яблоко от яблони недалеко падает» — пословица подтверждалась в обоих случаях.

— Конечно, серьезно! — подтвердила Олимпия, благодарная пожилой женщине за поддержку.

— Я думала, евреев и черных туда не пускают, — осторожно проговорила Фрида. Именно так сказал ей за обедом Гарри, этим-то и объяснялось его неприятие мероприятия.

— В приглашении об этом ни слова, — ответила Олимпия.

Впрочем, справедливости ради надо было признать, что в стародавние времена на сей счет существовали неписаные правила. Она надеялась, что теперь все стало иначе. Правда, сама она давно уже не интересовалась светскими условностями и не знала, подверглись ли изменениям прежние установки. Но ей и в голову не могло прийти не пригласить с собой Фриду — плевать на все правила и на то, что кому-то это может не понравиться!

— О чем мы вообще говорим? — взволнованно продолжала Олимпия. — Ты — член нашей семьи. Девочки расстроятся, если тебя там не будет. А мы с Гарри — тем более.

— О боже! Я и не думала, даже представить себе не могла... Вот Гарри-то удивится... Но я бы очень хотела хоть одним глазком взглянуть на эту красоту — девушки в длинных платьях, музыка... Где еще такое теперь увидишь?! А что же я надену?

Олимпия засмеялась, от души отлегло. Похоже, свекровь на ее стороне.

— Что-нибудь подберем. Поближе к делу пробежимся по магазинам, купим тебе роскошное платье.

Олимпия внезапно поняла, что для ее свекрови это действительно будет особенное событие — как и для Джинни. Да и для Гарри — только в ином смысле. Для Фриды этот бал словно олицетворяет все, чего она была лишена в юности. Она, вероятно, воспринимает его как запоздалый дар, как удивительный праздник, пусть и не ее молодости. В ее юности не было ничего подобного, там царила нужда и тяжкий труд в швейных мастерских. Поэтому для нее так много значит приглашение на такое шикарное мероприятие, тем более — из уст невестки. И Олимпия ни за что не лишит ее этого удовольствия. По голосу Фриды было слышно, как она взволнована.

— Но ведь надо будет что-то с длинным рукавом искать, — тихо проговорила та. Олимпия все поняла: Фрида, как всегда, была озабочена тем, как прикрыть свою лагерную отметину.

— Обещаю, мы выберем то, что надо. Подберем тебе идеальный наряд, — сердечно произнесла Олимпия.

— Вот и замечательно! В выходные я попробую поговорить с Вероникой. Нельзя, чтобы она испортила праздник сестре. Борец за социальные права, Чавес никогда не узнает, что она там жизнь прожигает, а вдвоем с Джинни им будет только веселее. Сыну моему скажи, нечего быть таким занудой. Ему просто фрак надевать неохота! А если не поедет — мы и без него прекрасно развлечемся. До декабря еще далеко, к тому времени все успокоятся. Не позволяй им портить тебе жизнь! Береги себя, деточка... — с нежностью проговорила Фрида.

За все тринадцать лет брака с Гарри Олимпия ни разу не слышала от свекрови худого слова. Напротив, она всегда могла рассчитывать на ее поддержку и понимание. Перейдя в иудейскую веру, Олимпия навеки завоевала любовь и преданность свекрови. Фрида была удивительной женщиной — она сразу поддержала выбор сына. А ведь на руках у Олимпии было трое своих детей, которых надо было еще растить и растить. Фрида, не жалея сил, всеgда была готова прийти на помощь Олимпии. Вот и сейчас она сразу верно оценила ситуацию и все поняла с полуслова.

— Помечу себе в календаре. Давай назначим наш поход по магазинам на сентябрь, когда поступят в продажу осенние коллекции. Может, черный бархат? Что скажешь?

— Скажу, что ты самая потрясающая женщина на свете! И в черном бархате и без... — В глазах Олимпии заблестели слезы. — Мне повезло, что жизнь нас свела.

— Да будет тебе! И не загружай себя этими проблемами. Все будет хорошо! Гарри перекипит. Он ведет себя глупо, раздувает из мухи слона. — «Как и все остальные», — подумала Олимпия. — На один вечер может и поступиться своими принципами, повеселиться от души, вкусно поужинать — вместо того, чтобы закатывать тебе сцены.

Попрощавшись со свекровью, Олимпия почувствовала, что настроение ее улучшилось. Она даже похвалила себя за правильное решение пригласить на бал и Фриду. А что — это же выход из трудного положения... И Фриде радость, и ее влияние на Веронику может возыметь действие. Да и Гарри любит мать и считается с нею.

Прошло несколько минут, и в кабинет вошла еще одна из партнеров фирмы, Маргарет Вашингтон. И сразу заметила, что Олимпия чем-то озабочена.

— Похоже, этот день тебя доконал, — констатировала Маргарет.

У нее самой выдался трудный день, она корпела над апелляцией по коллективному иску, который фирма готовила против сети предприятий, сбрасывавших в реку токсичные отходы, но первые слушания проиграла. Маргарет по праву считалась одним из лучших адвокатов в их компании. Училась в престижнейших университетах — в Гарварде, потом на юридическом факультете в Йеле. Но она была темнокожей, и Олимпия не спешила делиться с ней своими проблемами — вдруг ненароком заденешь ее чувства или невольно обидишь. Она походила вокруг да около, но потом все же не удержалась и рассказала все.

Реакция Маргарет была точно такой же, как у свекрови:

— Господи боже ты мой! Мы губим природу химикатами, торгуем табаком и выпивкой, половина нашей молодежи сидит на наркотиках, которые можно достать на каждом углу, не говоря уже об оружии... У нас один из самых высоких в мире процентов самоубийств в возрасте до двадцати пяти, и мы при каждом удобном случае влезаем в военные действия там, где нас никто не просит и не ждет. Фонд социального страхования практически обанкротился, государство увязло в долгах, политики в подавляющем большинстве продажные, система образования трещит по швам... А от тебя твоя дочь и муж требуют, чтобы ты испытывала угрызения совести из-за како-го-то игрушечного бала для белых? Ничего не понимаю! К твоему сведению: в гарлемском клубе, куда ходит играть в лото моя матушка, нет ни одной белой женщины. Но она поче-му-то не испытывает по этому поводу ни ма-лейших угрызений совести. Гарри бы еще в пикет какой-нибудь записался! Это же не марш неонацистской молодежи, а бал моло-деньких глупышек в нарядных белых платьи-цах. Знаешь что? Я бы на твоем месте обяза-тельно заставила ее пойти, раз она, дурочка, сама не понимает. И совесть бы меня не мучи-ла. Скажи своим, пусть угомонятся. Я вот, на-пример, в студенческие годы в каких только акциях протеста не участвовала, однако же ваши Аркады меня нисколько не задевают.

— Мне и свекровь так говорит. А Гарри считает, это проявление неуважения ко всем его родным, погибшим в Холокосте. Я начи-наю чувствовать себя подругой Гитлера Евой Браун.

— Ну, хорошо, хоть свекровь рассуждает

здраво. А что она еще сказала? — с интересом спросила Маргарет.

Маргарет была красивая женщина, несколькими годами моложе Олимпии. В юности она даже подрабатывала фотомоделью, снималась для журналов «Харперз Базар» и «Вог» — чтобы было чем платить за учебу.

— Спросила, как я отнесусь, если она купит себе платье из черного бархата, и когда мы с ней сможем пройтись по магазинам.

— Вот именно! Такая же реакция, как у меня. Пошли их всех подальше, Олли! Пусть твоя революционерка умерит свой пыл, и мужу тоже пора образумиться. Правозащитники против этого бала не выступают? Ну так и ему нечего возмущаться. А твой бывший — просто козел!

— Это точно. Он бы предпочел отказаться от дочери, чем смириться с тем, что дочь отказывается выехать в свет. Я просто хочу, чтобы они получили удовольствие — как я в свое время. Никакого политического подтекста тут нет — и никогда не было. Мой первый бал пришелся на семидесятые годы. В шестидесятые, по-моему, они популярностью не пользовались, а в сороковые и пятидесятые на них еще женихов ловили, так что, можно сказать, тогда это была жизненная необходимость. Теперь об этом, конечно, речи не идет, девчонки просто наряжаются, форсят и флиртуют с кавалерами. Один-единственный вечер как дань традиции ради фотографий в семейный альбом. Никаких поруганных ценностей!

— Говорю же тебе, у нас в Гарварде было полно девчонок, которые выезжали на балы и в Нью-Йорке, и в Бостоне. Но лично мне было на это глубоко наплевать, меня это нисколько не трогало. Один раз подруга даже с собой приглашала, но у меня как раз фотосессия тогда была для одного модного журнала. Так что еще неизвестно, кто кому тогда завидовал!

— Слушай, Мэг! Так поедем с нами! — с воодушевлением предложила Олимпия.

— Ты серьезно? А что? Я бы с удовольствием полюбовалась на всех этих красоток и на снобов — их родителей.

У Олимпии даже в мыслях не было, что появление на Аркадах темнокожей Маргарет может кому-то показаться неуместным. Пусть ее предложение и было продиктовано порывом, но порыв этот был вполне искренним.

Итак, она уже пригласила на англосаксонский бал еврейку и афроамериканку, да и сама она, к слову сказать, тоже уже не была христианкой. Если же оргкомитету по какой-то причине это не понравится — это не ее проблема.

— Хорошо бы Гарри в конце концов одумался, — со вздохом произнесла Олимпия. Она совершенно не выносила ссор с мужем. После малейших размолвок с Гарри у нее все валилось из рук.

— Если нет — ему же хуже, много потеряет. Сам себя накажет. Дай ему время спуститься с небес на землю. Еще образумится, когда узнает, что мать с тобой солидарна и тоже считает, что обеим девочкам надо принять приглашение.

— Да, — вздохнула Олимпия. — Дело за небольшим — уговорить Веронику. В противном случае пускай они с Гарри на пару пикетируют бал. С транспарантами против любительниц мехов и в защиту животных, бездомных, безработных и представителей небелой расы.

Обе посмеялись, а спустя полчаса Олимпия уехала домой.

Вечером обстановка в доме царила напряженная. За ужином никто не проронил ни слова, но по крайней мере хотя бы все поели. Когда ложились спать, Гарри уже немного смягчился. Ни с ним, ни с Вероникой Олимпия о бале не говорила. Эта тема в доме вообще больше не обсуждалась, пока через три дня Вероника не получила письмо от отца, приведшее ее в бешенство.

В письме Чонси изложил свою угрозу касательно платы за обучение обеих дочерей в случае неучастия в Аркадах. Дочь бушевала, обвиняла отца в подлости, стремлении ими манипулировать, попытке сделать из нее заложницу и подвергнуть шантажу. Олимпия угрозу бывшего мужа никак не комментировала, только про себя отметила, что после этого сестры помирились. Вероника, правда, пока впрямую не сказала, что изменила свое решение, но и упираться перестала. Получив письмо отца, она забеспокоилась. Она боялась навредить сестре или вынудить мать оплачивать ее учебу. Но на отца она страшно разозлилась и не стеснялась в выражениях на его счет. Гнилые убеждения, бессовестное поведение — это были самые безобидные из ее выражений.

Олимпия отправила в оргкомитет подтверждение и взнос за обеих, написав, что дочери будут счастливы принять участие в бале. Мужу ничего не сказала, рассудив, что времени до декабря еще много и все уладится. Он лишь один раз высказался на эту тему, когда ее затронул приехавший на выходные домой Чарли. Гарри произнес тогда три слова, но этого было достаточно.

— Я не поеду, — проворчал он и вышел, оставив Олимпию беседовать с сыном.

— Дело твое, — негромко отозвалась Олимпия, хорошо помня слова свекрови и Маргарет Вашингтон. Она надеялась, что за семь месяцев может многое измениться.

Чарли согласился сопровождать на балу Джинни, хотя у той недавно и появился постоянный приятель. Она последовала совету матери и решила пока не приглашать на бал своего ухажера, ведь за семь месяцев еще много воды утечет.

Олимпия очень надеялась, что все с течением времени образуется.

Пока же страсти как будто улеглись. Ну и слава богу! Мир в семье, кажется, снова воцарился.

Глава 3

На летние каникулы Чарли приехал из Дартмута непривычно притихший. Это было совершенно не похоже на Чарли, ведь он учился успешно, играл в университете в теннис и хоккей, а недавно начал осваивать гольф.

Во время каникул Чарли встречался с друзьями, ходил с сестрами на тусовки и даже согласился пойти на свидание с одной из подруг Вероники, съездил с Максом в Центральный парк погонять мяч, а с наступлением жары повез на Лонг-Айленд на море. Внешне все было как обычно, Чарли ни дня не сидел на месте, но Олимпия чувствовала, что с сыном не все в порядке, и тревожилась за него. Сын был каким-то притихшим, отстраненным и поникшим. Вскоре Чарли должен был ехать в летний лагерь в Колорадо и всем говорил, что ждет не дождется отъезда.

Олимпия не могла себе представить, что гнетет ее старшего сына. Но и приставать к нему с расспросами, зная характер Чарли, не решалась.

Как-то в субботу утром, отправившись с мужем на теннисный корт, Олимпия сказала Гарри о своей тревоге. Чарли в этот раз остался дома с Максом, отпустив их поиграть. Они обожали играть в теннис или сквош. Тем более что для Олимпии и Гарри это была почти единственная возможность побыть наедине. Им нечасто доводилось оставаться вдвоем, ведь почти все вечера и выходные они проводили с сынишкой, поэтому каждая такая возможность была на вес золота. Но сейчас, когда Чарли был дома, у них появилась бесплатная нянька — тот всегда с готовностью вызывался побыть с братом.

— Я ничего не заметил, — отвечал Гарри, вытирая вспотевшее лицо полотенцем. Он выиграл матч, но с небольшим отрывом. Оба мастерски играли в теннис и находились в отличной форме. Сетования Олимпии на то, что старший сын как будто не в своей тарелке, его удивили. — Мне показалось, все как всегда. С чего ты взяла, что у него проблемы?

— Пожалуй, ничего определенного, но я же вижу, что его что-то тяготит. Я замечаю, когда он думает, что никто на него не смотрит, вид у него такой подавленный, а иногда встревоженный. Не могу понять, в чем дело. Может, ему учиться разонравилось? Или это дела сердечные?

— Олли, а может, ты все напридумывала? Мало ли о чем может думать молодой человек?! Тем более что Чарли всегда был склонен к философствованию. Он — человек не поверхностный, и потом, может же он хотя бы дома быть самим собой, не так ли? — Гарри наклонился к жене и поцеловал ее. — Хорошая была игра, правда?

— Еще бы! — Олимпия улыбнулась в ответ и

прижалась к Гарри. — Ты же выиграл. Ты, когда выигрываешь, всегда доволен игрой.

— Зато в прошлый раз в сквош ты меня сделала!

— Только потому, что ты потянул ногу. А так ты не даешь мне ни малейшего шанса. В сквош ты намного сильнее меня.

Зато она лучше играла в теннис. Впрочем, спортивные амбиции были чужды Олимпии. Для нее гораздо важнее было то, что и ей, и Гарри по-прежнему хотелось быть вместе, быть вдвоем. Спустя столько лет их чувства нисколько не остыли.

— А ты сильнее меня профессионально, — сказал вдруг Гарри, и Олимпия удивилась. Никогда раньше Гарри ее не хвалил.

— Да нет, не говори глупостей. Это ты превосходный адвокат! Просто ты утешаешь меня после проигрыша. Я все поняла — это грубая лесть.

— Ничего подобного! Ты действительно стала лучшим адвокатом. Ты и студенткой была способной, мне ли не знать! Ты умеешь работать вдумчиво, основательно, скрупулезно и при этом сохраняешь творческий подход. Иногда ты просто творишь чудеса. Я восхищаюсь твоими успехами. Когда я был практикующим адвокатом, я тоже старался работать методично, но мне всегда недоставало этой творческой жилки. Ты же порой действуешь почти вдохновенно.

— Ого! Ты это серьезно? — Олимпия взглянула на мужа с признательностью, такой комплимент из его уст она слышала впервые.

— Абсолютно. Если мне понадобится совет юриста, я обращусь к тебе. А вот теннису учиться я бы у тебя, наверное, не стал.

Олимпия легонько ткнула мужа в бок, а он в ответ крепко поцеловал ее. Как же ей повезло с мужем! За все прожитые вместе годы у них практически не было разногласий, а случай с приглашением на бал был скорее исключением. Гарри остался, насколько могла убедиться Олимпия, при своем мнении, но она решила пока к нему не приставать. Благо, времени впереди оставалось еще много.

По дороге домой она снова заговорила о Чарли:

— Интуиция мне подсказывает, что его что-то гложет, он просто не хочет об этом говорить.

— Если все так и есть, в конце концов он сам заговорит с тобой, — заверил ее Гарри. — Всегда же так было, ты же знаешь.

Гарри хорошо знал, насколько близкие отношения связывают Олимпию со старшим сыном. Впрочем, его Олимпия обладала всеми мыслимыми достоинствами. Ему все в ней нравилось как в самом начале их совместной жизни, так и теперь. Точно так же, как и в ней за все эти годы не угасла любовь и уважение к своему избраннику. И еще Гарри знал, что обычно в отношениях с детьми чутье Олимпию не обманывает. И раз ей кажется, что с Чарли что-то не так, скорее всего, причина для волнений все же есть.

— Может, у него несчастная любовь? — предположил Гарри.

Олимпия знала, что в последнее время ее

сын не был никем серьезно увлечен. Чарли — не затворник, и интересы у него весьма разнообразные, но постоянной девушки у него точно не было.

— Не думаю, что дело в девчонках. Мне кажется, тут что-то посерьезнее. Но что это может быть за проблема — ума не приложу.

— Во всяком случае, работа в лагере пойдет ему на пользу, — успокаивал жену Гарри.

А в это время Чарли самозабвенно предавался игре с младшим братом. Из-за дверей доносились шум и воинственные крики.

Чарли играл с Максом в ковбоев и индейцев, для боевой раскраски Чарли использовал зубную пасту и губную помаду матери.

При виде их физиономий Олимпия расхохоталась. Макс, в шортиках и ковбойской шляпе, носился по дому, целясь в сводного брата из игрушечного ружья. Гарри тоже включился в игру, а Олимпия сразу пошла на кухню готовить ленч. Хорошее настроение не покидало членов семьи все утро.

А спустя несколько дней из Дартмута пришел счет от психотерапевта. Олимпия заволновалась. Она осторожно задала вопрос Чарли, но тот успокоил мать, заверив, что с ним все в порядке. Чарли сказал, что весной покончил жизнь самоубийством один его друг и сначала это на него очень подействовало, но теперь все позади. Услышав это, Олимпия встревожилась еще больше, но виду не подала. Она в свое время перечитала немало книг по психологии переходного возраста и знала, что случаи, когда молодые люди без всяких внешних причин, вдруг неожиданно для всех совершают самоубийство, не так уж и редки. Она, конечно, думала и о погибшем юноше, но тревога за сына не оставляла ее.

Когда Олимпия поделилась своими страхами с Гарри, тот заметил, что у нее вконец расшатались нервы и что сам факт, что Чарли обратился к психотерапевту, уже обнадеживает. Плохо кончают обычно те, кто не идет за помощью. И потом — нет никакой связи между тем, что сделал приятель Чарли, и самим Чарли. Вполне естественно, что эта трагедия отразилась на психологическом состоянии юноши, но со временем все забудется. Олимпия согласно кивала головой, слушая Гарри, но покоя ее сердцу его слова не принесли. После этого несколько раз Чарли с отчимом играли по выходным в гольф, а однажды он приехал к Гарри в офис, и они вместе отправились обедать. Тогда Чарли и сказал, что его всерьез привлекает богословие и он даже подумывает после окончания университета принять сан. Гарри считал, что интерес Чарли к теологии остался в прошлом, но, как видно, он ошибался. Он всегда знал, что Чарли умеет заглянуть в душу другого человека и частенько находит выход из самых деликатных положений. Кто знает, может быть, мальчик примет правильное решение?! Но как к этому отнесется Олимпия?

За обедом, видимо не желая в деталях обсуждать свои планы на будущее с Гарри, Чарли пытался перевести разговор на бал дебютанток, но тут уж Гарри отказался говорить на эту тему. Сказал лишь, что не одобряет мероприятия, на которое допускаются только так называемые избранные.

На своем продолжала стоять и Вероника, но к моменту отъезда в компании подруг в Европу — а это был июль — она немного смягчилась. К тому времени Джинни уже успела заказать себе наряд — дивное бальное платье из белой тафты, с открытыми плечами и длинной юбкой, расшитой крошечными жемчужинами. Платье было точь-в-точь как свадебное. Джинни просто визжала от восторга.

Кроме того, тайком от Вероники они с Олимпией выбрали платье и для сестры. Облегающее, из белого атласа, с одной бретелью, идущей наискось через одно плечо — они обе решили, что Вероника такое бы надеть согласилась. Платье было элегантное и могло бы прекрасно подчеркнуть стройную фигуру Вероники. А Джинни больше понравился вариант с пышной юбкой. Оба платья были по-своему безупречны и в то же время подчеркивали индивидуальность характеров и стиля сестер.

Атласное платье Вероники Олимпия спрятала подальше в свой шкаф. С Вирджинией они условились вообще не говорить Вер о том, что выбирали платья для бала. Перед отъездом в Европу Джинни снялась поочередно в двух платьях для буклета, который готовил к балу оргкомитет. Обсуждать это с Вероникой они не стали. Главное, фотографии обеих участниц таким образом были предоставлены. Если потом Вероника станет возмущаться, тогда и будем объясняться, решили заговорщицы. А сейчас ни к чему нарушать установившееся спокойствие.

В Европу девочки уезжали в прекрасном настроении, от былой ссоры не осталось и следа. Двумя днями позже Чарли отбыл в Колорадо, а Олимпия с Гарри вместе с Максом отправились во Францию.

Они чудесно провели время в Париже. Макс терпеливо отправлялся с родителями на экскурсии и в музеи, не жаловался на усталость и не хныкал. Но, конечно, с бо́льшим удовольствием он гонял мяч с французской ребятней и отводил душу на аттракционах. По вечерам родители брали его с собой, когда шли в бистро. Макс с аппетитом уплетал пиццу и бифштексы с картошкой фри. Специально из-за Макса ездили за мороженым в магазин Бертильона на Иль Сен-Луи, а еще Максу очень понравились блины, купленные в Сен-Жермен с уличного лотка. И, конечно, в полном восторге он был, когда вместе с родителями поднялся на Эйфелеву башню.

Они остановились в небольшом отеле на Левом берегу, который Гарри приметил в одной из своих предыдущих поездок. Словом, поездка удалась на славу. Присутствие маленького сына в соседней комнате никак не отразилось на любовно-романтическом настрое супругов, тем более что Макс засыпал после насыщенных событиями дней моментально и не просыпался до самого утра.

В последний вечер они, к восторгу Макса, совершили долгую прогулку по Сене на речном трамвайчике, любуясь огнями Парижа и великолепными зданиями и памятниками, мимо которых проплывали. Уезжать из Парижа не хотелось, но все когда-нибудь кончается, а все хорошее кончается особенно быстро!

А потом они отправились на Ривьеру. Провели несколько дней в Сен-Тропе, на одну ночь остановились в гостинице в Монте-Карло, несколько дней провели в Каннах. Макс играл с детьми на пляже и даже мог объясняться со своими новыми приятелями по-французски. Правда, слова он говорил одни и те же, но это нисколько не мешало общению. Уже через неделю пребывания на море все трое прекрасно загорели. Гарри и Олимпия чувствовали себя такими же беззаботными, как и их сын. Они наслаждались буйабесом, омарами и рыбой. Макс, правда, не разделял восторгов родителей по поводу такой еды, но это не мешало им получать удовольствие от каждой минуты отдыха. Да и у Макса было немало радостей и собственных «детских» открытий.

Из Сен-Тропе Макс отправил старшему брату футболку на память, а тот в ответ засыпал их забавными открытками, в которых описывал свою жизнь в летнем студенческом лагере. Чарли тоже неплохо проводил время. Олимпия не находила в его посланиях никаких признаков уныния. И это ее успокаивало.

Венеция подарила им тоже незабываемые воспоминания. Волшебный город очаровал всех. Без устали ходили они по узким улочкам, на площади Сан-Марко Макс кормил голубей, проплывали на гондоле под Мостом Вздохов. А когда в этот момент Гарри поцеловал Олимпию, вспомнив слова гондольера, что это залог того, что они будут принадлежать друг другу вечно, Макс выразительно поморщился при виде целующихся родителей, а Вероника и Джинни дружно рассмеялись, глядя на смутившегося брата.

Последовавшая затем поездка по Северной Италии и Швейцарии умножила их впечатления. Они поселились в красивом отеле на Женевском озере, ездили в Альпы, а последние несколько дней провели в Лондоне. Макс заявил, что ему везде очень понравилось. Сестры и родители поддержали его — это летнее путешествие было похоже на волшебную сказку.

На обратном пути, в самолете, Олимпия была на удивление молчалива. Она целиком погрузилась в свои мысли. А думала она о том, что совсем скоро опустеет их дом, дочери уедут учиться, и когда еще они смогут собраться вот так же — все вместе?! И вряд ли уже повторится это удивительное путешествие, которое было таким чудесным...

Дни перед отъездом в колледж прошли в сплошной суете: девочки собирались, упаковывали вещи — от велосипедов до компьютеров, прощались с подружками. Джинни пришла в восторг, узнав, что несколько ее подруг тоже приняли приглашение на бал Аркады и будут дебютировать с ней вместе. Вероника продолжала презрительно морщить нос, пока в один прекрасный день не увидела фотографии Джинни в двух разных платьях — они лежали в ящике письменного стола Олимпии, где ей вздумалось искать почтовые марки. Не веря своим глазам, Вероника оцепенела, охваченная праведным гневом.

— Как ты могла?! — накинулась она на мать, а потом обвинила сестру в вероломстве.

Джинни не выдержала и тоже обрушилась на сестру:

— Почему мама должна платить за наше обучение из-за того, что ты хочешь показать характер и позлить отца? Ты об этом подумала?!

В знак протеста против позиции отца Вероника этим летом отказалась навестить Чонси в Ньюпорте. Джинни пришлось в одиночку нести этот крест и съездить к отцу в последние выходные перед отъездом в колледж.

— Это нечестно! Почему из-за твоего каприза должна страдать мама?

В конце концов Джинни до нее достучалась. Довершила благое дело Фрида, которая пригласила Веронику на обед и попросила сменить гнев на милость. И накануне отъезда Вероника сдалась. Она заявила, что делает это вопреки своим убеждениям и по-прежнему против снобистского мероприятия, но вынуждена подчиниться из-за упертости своего папаши. Сказала, что не хочет подставлять маму и потому покоряется. Олимпия, когда услышала это от Вероники, от души благодарила дочь и обещала сделать все, чтобы выезд в свет никоим образом не задел ее благородных убеждений и чувств. Причем в голосе Олимпии не было и тени иронии. Итак, примирение практически состоялось. Правда, с бальным платьем возникли проблемы. Вероника примерила платье и заявила, что оно ей категорически не нравится, хотя выглядела она в нем сногсшибательно. И не могла не видеть этого сама. Спутника у нее пока не было, но Вероника обещала этот вопрос продумать. Сообщить имя сопровождающего кавалера оргкомитету надо было не позднее Дня благодарения.

— Может, попросим кого-нибудь из друзей Чарли? — предложила Олимпия, но Вероника твердо заявила, что решит все сама. Пока надо было радоваться и тому, что она вообще согласилась участвовать в этом празднике, а давить на нее по поводу кандидатуры сопровождающего в этой ситуации было довольно рискованно. Олимпия решила больше не вмешиваться. По крайней мере, до поры до времени.

Единственным, кто по-прежнему твердо стоял на своей позиции, был Гарри. Он даже обсуждать эту тему отказывался. Он был, похоже, разочарован тем, что Вероника уступила давлению, но признал, что ей ничего другого не оставалось перед лицом позиции отца. Чтобы не создавать серьезных проблем матери, она вынуждена была подчиниться.

Его же собственный отказ от участия в мероприятии никому не создавал проблем. При каждом удобном случае Гарри давал понять, что никакая сила на свете не заставит его ехать на Аркады. В этом вопросе Гарри проявлял несвойственное ему упрямство. Видимо, отказ от участия в мероприятии он считал делом принципа.

Прежде чем отправиться к началу нового

учебного года в Дартмут, Чарли несколько раз пытался поговорить с Гарри на эту тему, но все его попытки ни к чему не привели.

В воскресенье накануне отъезда старшего сына в колледж Олимпия повела его обедать в ресторан. Летние каникулы сказались на молодом человеке самым положительным образом, он выглядел отдохнувшим и спокойным. Казалось, Чарли преодолел то состояние душевного беспокойства и угнетенности, которое Олимпия заметила у сына в начале лета. Ее волнение за него постепенно улеглось. Чарли много общался с друзьями, говорил, что с нетерпением ждет нового учебного года, а следующей осенью он намеревался продолжить образование на теологическом факультете. Правда, он поговаривал и о дипломе в Оксфорде и о том, что хорошо бы взять в колледже академический отпуск и уехать на целый год путешествовать. Был и еще один вариант — пойти работать в компанию отца сокурсника Чарли, с которым он делил комнату в студенческом кампусе. Компания находилась в Сан-Франциско. Пока Чарли еще не решил, какой вариант предпочесть, но все они казались Олимпии с Гарри заслуживающими внимания.

Олимпия прекрасно понимала, как сложно сделать правильный выбор в таком юном возрасте. Ей до сих пор не верилось, что ее первенец уже стал взрослым и должен идти в жизни собственной дорогой. Счастье, что Чарли разумный парень и учится хорошо, к тому же умеет нравиться людям. А то, что он не может еще определиться, — дело понятное. В разговоре за обедом он сказал Олимпии и о том, что ему нравится и преподавательская работа. Одним словом, Чарли пребывал в растерянности. Но что могла посоветовать ему мать?! Пусть решает сам, в конце концов, никогда не поздно все начать сначала, ведь Чарли так молод и впереди у него целая жизнь.

— Бедняжка! — вздыхала Олимпия. — Не хотела бы я оказаться на его месте, снова стать перед выбором пути. — Этот разговор с мужем состоялся у Олимпии вечером того дня, когда она ходила с Чарли обедать. — Он просто разрывается на части — и того хочется, и этого. Чонси хочет, чтобы Чарли, как и его отец когда-то, ехал в Ньюпорт и работал бы там инструктором по поло. Ничего себе перспектива после Дартмута! Слава богу, это предложение Чарли всерьез даже не рассматривал.

Чарли не рассматривал всерьез и работу в банке отца в Нью-Йорке. Эти варианты он для себя решительно отмел. Чарли явно не хотел связывать себя с отцом деловыми отношениями. Гарри считал, что Чарли надо идти в Оксфорд, Олимпии же больше нравился вариант работы в Сан-Франциско. Она считала, что сыну полезно будет начать все с чистого листа, не ожидая поддержки — пусть и номинальной — папочки. А сам Чарли находился в метаниях. Гарри же агитировал за продолжение учебы на юридическом факультете. Чарли, однако, это предложение решительно отверг. Все-таки духовная стезя по-прежнему больше его привлекала.

— Не могу себе представить его в роли священника, — признавалась Олимпия мужу, хотя из всей семьи старший сын, безусловно, был самым религиозным.

— Кто знает, ему, возможно, это как раз подойдет, — говорил Гарри задумчиво. — Только вот денег этим не заработаешь. Ты меня знаешь, Олимпия, я человек не прагматичный, но лучше бы он выбрал что-нибудь более надежное и перспективное с точки зрения финансовой выгоды.

В этом смысле им обоим более привлекательной казалась работа в Сан-Франциско. Речь шла о компьютерной фирме в Пало-Альто, и Олимпия советовала сыну подумать об этом серьезно. После Рождества и участия с сестрами в бале дебютанток Чарли собирался погостить у своего товарища и поближе познакомиться с его отцом и вероятной работой. А Гарри и Олимпия запланировали провести с детьми рождественские каникулы на горном курорте в Аспене и уже предвкушали интересную поездку. А перед балом, еще в Нью-Йорке, предстояло отметить Хануку.

Проводив Чарли, Олимпия на следующий день повезла по магазинам Фриду. Они облазили «Сакс» и «Бергдорф», прежде чем в «Барниз» нашли наряды, которые обеим показались идеально подходящими и к торжеству, и к возрасту. Олимпия выбрала себе темно-синее атласное платье с легким, в тон, шарфом, а Фрида — черное бархатное платье с длинным рукавом и под горло, строгое, но элегантное, без лишних украшений и легкомысленной отделки, но безупречно скроенное и сшитое.

Довольные удачными покупками, они вернулись к Фриде и, как две подружки, скинув туфли, весело болтали за чаем. Фриду предстоящее светское мероприятие воодушевляло с каждым днем все больше. Теперь, когда вопрос с ее нарядом был решен, она уже ждала этого дня с плохо скрываемым нетерпением. Она поделилась с Олимпией, что наденет сережки с бриллиантами, подаренные сыном и невесткой на ее семидесятипятилетие, а также нитку жемчуга — давнишний подарок покойного мужа.

Олимпия одобрительно кивнула, радуясь, что свекровь так оживлена, а потом вдруг заговорила совсем о другом.

— Беспокоит меня Чарли, — сказала она неожиданно, чувствуя себя как дома на уютной кухне Фриды.

В квартире свекрови, как всегда, царил идеальный порядок, она гордилась тем, что до сих пор сама поддерживает его. Наделенная независимым характером, она категорически отвергала любую помощь со стороны сына, хотя он то и дело предлагал матери свои услуги.

— У мальчишки столько планов на будущее, что он и сам не знает, что предпочесть — глаза разбегаются.

— Он еще молод, есть время найти себя. А как у него сейчас с отцом отношения складываются?

Фрида знала, что все пятнадцать лет после

развода родителей Чарли все больше отдаляется от отца. Чонси неизменно вызывал его разочарование. Да Чонси и сам не думал скрывать, что куда больше его занимают три дочери от нового брака, нежели судьбы старших детей. Девочек такое отношение отца как будто не трогало, а вот Чарли переживал безразличие Чонси весьма болезненно. Гарри во всем старался служить ему опорой, но это, увы, не компенсировало юноше отсутствия отцовского тепла. Чонси и не думал вникать в переживания мальчика. Это было вполне в его духе. Поверхностный, неспособный на длительную привязанность и ненавидящий любую форму ответственности. Все, что не доставляло удовольствия и требовало спуститься из седла, он отвергал. Чонси, например, всегда хотел, чтобы старший сын играл в поло, и нежелание парня выполнить волю отца служило источником постоянного раздражения Чонси.

— Увы, отношений с отцом у него нет никаких, — вздохнула Олимпия. — Впрочем, может, это и к лучшему. Гарри, к сожалению, слишком занят, чтобы всерьез поговорить с Чарли. А я вижу, что в последнее время Чарли как-то замкнулся. — Она рассказала о недавнем самоубийстве его друга, которое тягостно подействовало на сына. — Он на эту тему не распространяется, но по почте на наш адрес пришел счет от психотерапевта в Дартмуте, и Чарли объяснил, что ходил на консультации после того случая. В июне, когда Чарли только приехал на каникулы, настроение у него еще было подавленное. Правда, к концу лета, после лагеря, он вроде бы ожил и снова стал похож сам на себя.

— Ты уверена, что с ним все в порядке? — забеспокоилась Фрида. В отличие от многих сверстниц она сохраняла остроту реакций и широту интересов, свойственные молодым.

— Надеюсь, — осторожно произнесла Олимпия. — Мне кажется, он по натуре такой задумчивый аналитик и склонен многие вещи держать при себе. Раньше он чаще со мной делился, а уж о том времени, когда маленьким был, я и не говорю. Наверное, с возрастом у всех детей это проходит — взрослеют дети... Но на сердце у меня что-то неспокойно.

— А девушка у него есть? — оживленно поинтересовалась Фрида. Она уже давно не задавала невестке этого вопроса и надеялась, что за последнее время ситуация изменилась.

— Постоянной — нет, насколько я знаю. Летом он проводил время с сестрами и их подружками. Была у него девушка на втором курсе, но через какое-то время они расстались. Не похоже, чтобы с тех пор у него был серьезный роман. А в этом году после самоубийства однокурсника Чарли вообще впал в депрессию. В Колорадо в летнем лагере, мне кажется, он тоже ни с кем не познакомился, во всяком случае мне он ничего не рассказывал. При всей своей общительности он слишком разборчив.

Фрида покивала. Чарли порядочный, чувствительный, внимательный мальчик, много времени проводит с сестрами и сводным братишкой, очень привязан к матери и любит отчима. Фрида и раньше думала, что духовная стезя вполне могла бы стать его призванием.

Она улыбнулась невестке и подлила ей чаю.

— А может, ему не в священники пойти, а в раввины? У меня отец был раввином, он умел так внимательно слушать людей, вникать в их проблемы. Очень был образованный человек, многие люди благодарили его за участие и мудрые советы. Я хоть и маленькая была, а помню. — Она редко говорила о родителях, но всякий раз, когда эта тема всплывала, отзывалась о них с теплотой, которая трогала Олимпию до слез.

— Чонси придет в восторг! — Обе рассмеялись, представив себе, какой будет реакция сноба Чонси, если сын примет иудаизм и станет раввином. — Его отец с ума сойдет! Мне эта затея по душе.

Чонси и его вторую жену Фелицию Фрида видела лишь однажды. Чонси не счел необходимым проявить к ней должного внимания. Фрида для него просто не существовала. Он мгновенно вычеркнул ее из списка людей, достойных его интереса, ведь она не принадлежала к его кругу.

Олимпия прекрасно понимала, что Чонси Уокер будет возмущен тем, что она посмела пригласить на Аркады Фриду. Возможно, он даже не соизволит поздороваться с пожилой дамой. Но еще больше его разозлит то, что она позвала Маргарет Вашингтон. Старые еврейки и темнокожие особы никак не вязались с его представлениями о бале дебютанток-аристократок. Олимпия легко могла вообразить, кого пригласят со своей стороны Чонси с Фелицией — исключительно тех, кто входит в Социальный реестр, рафинированных представителей знатных семей, чопорных и напыщенных. С Фридой хотя бы приятно общаться, она много путешествовала, постоянно читает, с интересом говорит о политике и умеет в считаные минуты расположить к себе собеседника. А Маргарет? Умница — каких нечасто встретишь!

Олимпию все еще огорчало, что Гарри отказывается ехать. Впрочем, Олимпия уже почти смирилась, да и Фрида, кажется, тоже. До бала оставалось три месяца, и сейчас они обе радовались, что наконец-то решили вопрос с нарядами для себя.

Разговор зашел об очередном судебном деле, которым сейчас занималась Олимпия. Потом обсудили недавний скандал в сенате, не сходивший с информационных лент все последние дни. Фрида была счастлива, что Олимпия в кои-то веки никуда не спешила и могла поговорить со свекровью, не считаясь со временем.

Ближе к вечеру Олимпия распрощалась с Фридой. Вернувшись домой, она застала Гарри за приготовлением ужина. Ему активно помогал Макс. Они учинили на кухне настоящий бедлам, но, судя по довольным физиономиям, прекрасно провели время.

— Где ты была так долго? — поинтересовался муж, когда Олимпия поцеловала его и нагнулась обнять сына.

— Ходили с твоей мамой по магазинам, я же предупредила тебя. Сам понимаешь — это дело требует времени, — ответила она, обводя счастливым взглядом своих любимых мужчин. Господи, какое это счастье, когда тебя ждут дома!

— Как мама? — спросил Гарри, укладывая мясо на решетку. На воскресный ужин он запланировал приготовить барбекю. К этому располагал и теплый вечер, так что погода вполне позволяла заниматься приготовлениями на лужайке за домом.

— Все отлично. Мы подобрали ей дивное платье к балу.

— Ах, вот оно что... — нахмурился Гарри и направился к жаровне, чтобы положить мясо.

Макс бросился к матери.

— Он все равно не поедет, — с серьезным видом объявил он.

— Я знаю, — улыбнулась Олимпия. — Мы с папой обо всем договорились.

— Ты на него больше не сердишься? — забеспокоился Макс.

— Нет. Имеет же он право на собственное мнение!

В этот момент в кухню вернулся Гарри. Олимпия подошла к мужу и обняла его.

— Дорогой, согласись, что твое отношение к этому балу тоже не вполне политкорректно. Это фактически дискриминация в отношении белых англосаксов, — улыбнулась она.

— А у них — дискриминация чернокожих и евреев.

— Тогда вы квиты, — невозмутимо отвечала Олимпия. — Мне кажется, любая дискриминация заслуживает осуждения.

— Вижу, общение с моей мамой даром для тебя не прошло, — заметил Гарри, занявшись салатом. — Ей просто нужен повод нарядиться! Все вы, женщины, одинаковые, лишь бы покрасоваться. А сути этого мероприятия не понимаете или не хотите понять.

— Гарри, это просто светский ритуал. И только! И девочки будут расстроены, если ты не поедешь. Вот это мне кажется куда серьезнее — обижать тех, кого ты любишь и кто любит тебя, ради того, чтобы продемонстрировать свои принципы посторонним людям.

Кто оценит твою гражданскую позицию, кто вообще обратит внимание на твое отсутствие, кроме нас — твоих близких?! Только нам будет тебя не хватать! Ну, сам подумай: девочки выезжают в свет, а тебя нет с нами! Ты их вырастил, ты делил с ними и радости, и трудности, они любят тебя! И в такой день ты нас бросишь?!

— Прекрасно обойдетесь без меня! А мы с Максом дома посидим.

— А откуда они будут выезжать? — спросил Макс, все еще не до конца понимая смысл мероприятия. Куда собираются выезжать сестры? И чем им может помочь Чарли? И зачем мама с бабушкой будут на них смотреть? И почему папа этого так не одобряет?

— Ну, малыш, я же тебе говорила, это просто такое выражение. На самом деле девочки будут стоять на большой сцене, под аркой из цветов, и каждая сделает реверанс — это такой изящный поклон. Вот так.

Олимпия присела в реверансе, грациозно, с прямой спиной и поднятой головой, а потом выпрямилась и, как балерина, раскинула руки перед собой.

— И все? — Макс был озадачен.

Гарри пошел перевернуть бифштексы. Он видел реверанс в исполнении Олимпии, но сделал вид, что ничего не заметил. Его это не волновало.

— И все. Только в длинном платье это, конечно, выглядит намного красивее.

— Так тоже красиво! — похвалил Макс. Он был под впечатлением. Какая у него красивая мама! И сестры тоже. Он ими гордился. А еще он гордился сводным братом и папой. — А девочки знают, как это делать? Они умеют?

Он не видел, чтобы они репетировали, а ему показалось, что выполнить эту фигуру не так просто.

— Пока еще нет, но скоро научатся. Перед балом у них будет репетиция.

— Спорим, они сделают этот ре... Ну, в общем, свое упражнение лучше всех! — воскликнул Макс, ни секунды не сомневаясь в способностях сестер. — А что будет делать Чарли?

— Он будет стоять рядом с Джинни во время ее реверанса, потом подаст ей руку, и они вместе торжественно спустятся по лестнице. А потом каждая девочка будет танцевать со своим папой.

— Обе сразу? — изумился Макс. Ему это показалось довольно затруднительным.

— Нет, по очереди.

Если бы пошел Гарри, то одна из сестер танцевала бы с ним, другая — с Чонси, а потом они бы поменялись партнерами. Но раз его не будет, сестрам придется танцевать со своим отцом по очереди.

— А кто поведет по лестнице Веронику?

— Пока не знаю. Ко Дню благодарения она должна решить.

— Надо, чтобы кто-то надежный, чтобы сумел ее удержать, если она вдруг упадет, когда станет делать эту штуку, которую ты сейчас показала, или на лестнице споткнется.

Гарри с Олимпией рассмеялись и переглянулись. И тут Олимпия со смехом вдруг вспомнила своего приятеля на первом балу. А казалось ведь, что она о нем и думать забыла.

— А мой кавалер к моменту нашего выхода был уже заметно навеселе. Пришлось срочно искать ему замену. Нашли совершенно незнакомого мне парня, но он оказался очень мил.

— Представляю, как потом досталось первому.

— Да уж...

Олимпия не стала говорить о том, что на том балу она в последний раз в жизни танцевала с отцом. Через год отец умер, а она еще долго вспоминала, как бережно он вел ее тогда в танце.

Да, этот бал был большим событием в ее жизни, и она надеялась, что таким же он станет и для ее дочерей. Не таким, конечно, которое перевернет их жизнь, но весьма и весьма знаменательным. Она никогда прежде не думала об общественном его смысле. Для нее это был прекрасный праздник, на котором она чувствовала себя в центре внимания, а все вокруг нее хлопотали и суетились. Такое можно испытать еще только в день собственной свадьбы.

В жизни Олимпии случились события куда более значительные — две свадьбы, рождение детей, выпуск из колледжа, потом из Колумбийского университета, прием в адвокатуру. Но все же первый ее бал навсегда остался в памяти. А больше всего — ее последний в жизни вальс с отцом.

— Что-то вроде бат-мицвы, — негромко прокомментировал Гарри, слушая ее рассказ.

— Верно, — согласилась жена. — Это торжественный день в жизни любой девушки, когда все внимание посвящено ей.

Пару раз Олимпии доводилось бывать с мужем на обряде совершеннолетия, который существует у евреев. И ее всегда впечатляло, насколько торжественно обставляется праздник, когда присутствующие произносят напутствия героине дня, показывают домашнее видео со сценами из ее детства, а потом проносят по комнате в кресле ее мать.

Еще более впечатляющим образом обставлялись такие праздники для мальчиков, бат-мицва, тоже обряд инициации. Они олицетворяют собой веху между отрочеством и взрослой жизнью, именно с этого момента юношу начинают воспринимать и считаться с ним, как со взрослым.

Макс поинтересовался, что такое бат-мицва, и Гарри стал вспоминать, как это было у него. Это событие в своей жизни он всегда вспоминал с нежностью и теплотой. Макс сразу возбудился в предвкушении своего особого дня, до которого было еще целых семь лет, когда Максу исполнится тринадцать.

Олимпия заканчивала мыть посуду, когда неожиданно позвонили девочки. Похвастались, что у них классные ребята на курсе, сказали, что в общежитии их поселили в двухкомнатном блоке вместе с двумя другими девушками.

А Чарли в этом году уже полагалась отдельная комната, ведь он был на последнем курсе. Он сам решил остаться жить в общежитии в студенческом кампусе. Сначала он собирался поселиться с друзьями в городе, но в конце концов раздумал. Сказал, что в общежитии ему будет удобнее. Известий от него не было с самого отъезда. Но Олимпия понимала, что он занят, ведь последний курс — самый напряженный.

Старшие дети должны были приехать домой на День благодарения. Олимпия не могла дождаться этого дня, ей казалось, что время остановилось. Сейчас, как никогда раньше, она благодарила Господа, что у них с Гарри есть Макс, с которым она не расстанется еще целых двенадцать лет.

В тот вечер они вместе укладывали мальчика спать. Гарри читал ему книжку, а Олимпия поцеловала малыша на ночь и подоткнула одеяло.

Потом, когда дома стало непривычно тихо, они еще долго говорили. У обоих были в работе трудные дела, и они обсуждали их, получая удовольствие от того, что можно посоветоваться друг с другом по профессиональным вопросам. Больше всего Олимпия ценила эту возможность делить все, что было для нее важным, с Гарри и слушать его суждения по самым разным вопросам. Она всегда высоко ценила его мнение, и до Аркад у Олимпии и Гарри практически не возникало серьезных разногласий.

Олимпия прижалась к мужу, преисполненная благодарности за то, что он у нее есть. Какое это счастье — жить в окружении любящих людей, имея любимую работу и замечательных детей!

Они еще долго продолжали разговаривать и в кровати, и Олимпия так и уснула в его объятиях. И даже рождественский бал отошел на второй план, и ее перестало волновать, поедет с ними Гарри или нет. Она все равно не перестанет его любить.

Глава 4

На День благодарения вся семья снова была в сборе. Дети начали съезжаться за пару дней до праздника. Чарли приехал во вторник, девочки — в среду. Они только что одолели промежуточные экзамены и теперь наслаждались свободой.

Макс больше всех радовался, что приехали старшие. У него снова появились товарищи по играм. Уже в день приезда Чарли забрал его из школы и повез в Центральный парк. Купил братишке жареные каштаны и воздушный шар. А на следующий день они отправились на каток. Вернулись раскрасневшиеся, с горящими глазами и в прекрасном настроении. К этому моменту уже приехали девочки, и Олимпия устроила семейный ужин. Дом снова наполнился оживленными голосами, и Олимпия наслаждалась обществом детей. Какое это счастье, когда они все дома! Вот бы так всегда было! Но, увы, время вспять не повернешь, дети выросли и начали жить своей жизнью.

Утром в День благодарения к ним пришла Фрида, чтобы вместе со всеми заняться праздничным столом. Обязанности были строго распределены: Гарри готовил начинку для фарширования, Олимпия колдовала над индейкой, Фрида занялась овощами, Чарли пек кукурузные оладьи, девочки делали традиционный для этого праздника гарнир из батата, а Макс с маминой помощью взбивал сливки для украшения яблочного и тыквенного пирогов, запланированных на десерт. Это был единственный день в году, когда угощение готовили все вместе, каждый вносил свою лепту, и результат неизменно радовал всех членов семьи.

В шесть часов сели за стол, а к восьми уже так наелись, что никто не мог и двинуться.

Специально для Фриды Олимпия, как всегда, еще накануне заказала в специализированной лавке кошерное угощение, которое свекровь тоже оценила по достоинству.

— Теперь три недели придется голодать, а то в платье не влезу, — простонала Фрида после тыквенного пирога со взбитыми сливками, приготовленными маленьким Максом.

— Мне тоже! — забеспокоилась Джинни.

Незадолго до этого Вероника объявила, что пригласила на роль своего спутника молодого человека по имени Джеф Адамс. Сказала, что познакомилась с ним совсем недавно — в колледже. Он приедет в Нью-Йорк накануне бала. Обещал заранее взять напрокат фрак и привезти с собой, чтобы не метаться тут в последний момент.

— Надеюсь, на него можно положиться? — забеспокоилась Олимпия. — Ты его хорошо знаешь?

— Достаточно, — небрежно бросила Вероника. — Мы уже три недели встречаемся.

— А если вы до бала успеете разругаться? Неловко получится.

Как правило, приятели считались не лучшими кандидатами на сопровождение дебютантки на балу, ведь вносить спутника в список надо заранее, а в случае ссоры или внезапного прекращения отношений можно остаться и без сопровождающего.

— Он просто друг, — пояснила Вероника, не понимая озабоченности матери. Ей казалось, что, добившись ее согласия отправиться на бал, Олимпия больше не станет ни о чем беспокоиться. А она опять волнуется из-за какого-то кавалера. Тоже мне проблема! Вероника передернула плечами.

Она без конца повторяла, что приготовилась к самому скучному вечеру в своей жизни. Это было довольно нетипичное заявление для дебютантки — не желать участвовать в первом бале! Зато у Вирджинии, в противоположность сестре, энтузиазма хватило бы на двоих. Ей не терпелось покрасоваться, за последние два дня она уже четырежды примеряла свой бальный наряд. Это было платье ее мечты.

Чарли сразу по приезде примерил свой фрак и удостоверился, что тот ему по-прежнему впору, хотя брюки стали чуточку узковаты в талии — но не настолько, чтобы покупать новые ради одного вечера.

Вероника сказала, что ее парень очень хотел познакомиться с Чарли и Джинни, но на эти дни он уехал в Вермонт кататься на горных лыжах.

— А какой он? — поинтересовался Чарли. Все понимали, как было бы здорово, если бы молодые люди нашли общий язык, тогда им не пришлось бы скучать во время репетиции и на самом балу, который ведь бывает довольно продолжительным.

— Джеф очень спортивный. В футбол играет, в хоккей... — ответила с воодушевлением Вероника.

— Может, в таком случае после бала рванем все вместе на каток? — предложил Чарли. — Или сходим в кабак. Он как, компанейский? А вообще, он охотно согласился участвовать в этой затее?

— Понятия не имею. Я его попросила, он не отказал. Энтузиазма от него не требуется, главное — чтобы присутствовал.

Поскольку самой Веронике это мероприятие по-прежнему не нравилось, то она представить себе не могла, что кого-то оно может воодушевлять. Ей даже в голову не пришло спросить Джефа, как он воспринял ее просьбу.

— А он когда-нибудь раньше сопровождал девушку на первый бал? — спросила мать. Вероника закатила глаза в немом недоумении.

— Понятия не имею! С меня хватит того, что он согласился пойти со мной.

— Некоторым юношам нравится участвовать в этом празднике, — заметила Олимпия, — хотя тебя это и удивляет. — Она улыбнулась, радуясь уже тому, что дочь в конце концов перестала яростно спорить по этому поводу.

— Меня это действительно удивляет. Ну

что может быть веселого во всех этих реверансах, церемониях?! По-моему, все это скука смертная.

— Ты и представить себе не можешь, насколько это весело! — Олимпия закрыла глаза, вспоминая свой первый бал. — Я хорошо помню, что была в тот вечер на седьмом небе от счастья.

— Скажи ей, мама! — поддержала Олимпию Джинни. Она готова была бесконечно говорить о предстоящем событии. — А то она мне не верит!

Фрида вернулась к себе домой поздно. Гарри вызвал такси, а когда он с матерью вышел на улицу, то увидел, что идет снег.

К утру город оказался укутан пушистым белым одеялом. После обеда всей семьей они отправились в Центральный парк. Там было столько снега, что все дружно решили съехать с горок, а поскольку ничего другого под рукой не оказалось, то воспользовались пластиковыми пакетами, чтобы не промокнуть, и катались в таком виде. Макс был в полном восторге, его звонкий смех разносился вокруг. Гарри и Олимпия старались не отставать от детей.

Девочки вспомнили свою любимую детскую забаву: они ложились в снег и, взмахивая руками, пытались на снегу оставить отпечаток крыльев, изображая ангелов. Олимпия смотрела на дочерей, и глаза ее вдруг наполнились слезами: она словно увидела своих дочерей совсем маленькими, а себя — молодой. Казалось, совсем недавно все это было, а вот они — уже взрослые девушки, студентки...

Потом всей компанией они отправились в Рокфеллер-Центр, где катались на коньках, а потом ужинали в ресторане. Вернувшись домой, Чарли и девочки созвонились с друзьями и вскоре разбежались кто куда. К этому времени Макс уже крепко спал после долгого дня, насыщенного захватывающими событиями. Он окончательно обессилел после того, как они со старшим братом слепили снеговика.

— Какой чудесный выдался праздник! — проговорила Олимпия, когда они с Гарри лежали в постели. — Как я люблю, когда дети дома! Я так без них скучаю! Жду не дождусь, когда они приедут на каникулы.

Дети должны были приехать домой за неделю до бала. Жаль, что Гарри так и не переменил своего отношения к этому событию. Что ж, зато с ней пойдут Фрида и Маргарет Вашингтон. Конечно, при всей привязанности и уважении к этим двум женщинам она предпочла бы им общество любимого мужа. Но на это рассчитывать не приходится. Он уперся, как бык, и ни за что не передумает.

Как бы ни огорчалась из-за этого жена, Гарри твердо вознамерился своим бойкотом выразить протест против мероприятия, которое считал расистским и дискриминационным. Впервые в жизни он осознанно шел против ее воли, твердо решив ни под каким видом не поступаться собственными принципами. На самом же деле его участие, или неучастие если кого и трогало, то только Олимпию и его близких.

Главная новость этих дней прозвучала в субботу из уст Вирджинии. Она долго размышляла, стоит ли откровенничать с близкими, но после задушевной беседы с матерью решила открыться и остальным. От мамы у нее никогда не было тайн. Джинни вообще не могла долго хранить даже самые сокровенные свои секреты.

Олимпия и сама почувствовала, что с Джинни что-то происходит, но, поскольку они теперь виделись редко, дочери было нелегко выбрать подходящий момент для разговора. Сегодня после завтрака такая возможность представилась, и она наконец излила свою душу.

Она призналась, что влюблена в одного мальчика в колледже. Он необыкновенный, самый лучший из всех! И он тоже, как и Джеф Адамс, который будет сопровождать на бал Веронику, классно играет в футбол. Зовут его Стив, и Вирджиния от него без ума — в отличие от сестры, которой ее парень хотя и нравится, но их отношения больше чем на дружеские пока не тянут.

Джинни сообщила, что они со Стивом встречаются уже три месяца по нескольку раз в неделю. Она спросила разрешения у матери тоже пригласить его на бал. Олимпия пообещала оставить и для Стива место — она зарезервировала целый стол. Джинни пришла в восторг. Брат будет исполнять роль ее официального спутника, что не исключает присутствия Стива тоже.

Джинни рассказала, что ее друг из Бостона, из очень респектабельной семьи. И он тоже близнец, его брат учится в Дьюке. По словам Джинни выходило, что Стив — лучший парень в их колледже.

Днем Олимпия поделилась новостью с Гарри. Она была рада за дочь, боялась лишь одного — что увлечение Джинни скажется на ее учебе. Но Джинни в разговоре успокоила мать — Джинни и Стив занимались в одной группе и много времени проводили в библио-

теке, когда Стив был свободен от трениро-
вок.

— Она влюблена в него без памяти, — рас-
сказывала Олимпия мужу. — Боюсь, Джинни
совсем потеряет голову, а ведь она только начала учебу. — Но в душе Олимпия была рада.

В старших классах у Джинни было несколько романов. Обычно они длились недолго, она часто меняла парней. Вероника,
напротив, всегда долго раскачивалась и не
спешила заводить серьезные отношения.
К юношам она предъявляла серьезные требо-
вания. Она была интеллектуалкой, к тому же
более осторожной и недоверчивой по натуре. Так похожие внешне, сестры разительно
отличались по характеру и интересам.

Вечером Олимпия спросила у Вероники
про приятеля сестры, но та без всякого энтузиазма сказала только, что он «ничего».

— Не похоже, чтобы ты была в восторге, —
забеспокоилась Олимпия.

Зная, что Вероника не страдает завистли-
вым характером, она стала сомневаться, так

ли все радужно на самом деле, как расписывает Джинни. Может, она ослеплена любовью и многого не видит?

— Да нет, Стив — нормальный парень, первый красавец в колледже — по крайней мере, он сам так о себе думает. Девчонки вокруг него так и вьются. Самодовольный тип, по-моему. — Вероника по-прежнему подходила к противоположному полу со строгими мерками.

— А он так же сильно влюблен в Джинни, как она в него? — продолжала допытываться Олимпия.

— Говорит, что да, — сухо ответила дочь. Такой ответ был вполне в ее духе. Она никогда не теряла голову, как ее пылкая сестра, ничего не делала сгоряча и придерживалась принципа «поживем — увидим». — Я не люблю таких красавчиков, что-то в них есть ненадежное. Впрочем, он из приличной семьи и совсем не дурак.

Сама же Вероника предпочитала парней неординарных, интересных собеседников —

словом, тех, кто привлекает не внешностью, а богатым внутренним содержанием. Джинни же всегда встречалась с писаными красавцами. В определенном плане ее ухажеры напоминали Олимпии ее первого мужа, и она даже опасалась, что в подсознании Вирджинии прочно запечатлелся образ ее отца. Учитывая безответственную натуру Чонси, это пугало Олимпию. А в этого Стива девочка, похоже, влюблена до беспамятства.

Джинни призналась матери, что спит со Стивом, но заверила, что они всегда предохраняются. И все же безграничное увлечение дочери тревожило Олимпию, особенно после характеристики, данной Стиву Вероникой.

— У меня такое впечатление, что он тебе несимпатичен, — сказала Олимпия Веронике. — Так ведь?

— Да нет, ничего не имею против. Но я от него не в восторге. К тому же я слышала, что он девчонок меняет, как перчатки. Не хочу, чтобы он разбил Джинни сердце.

Вероника искренне тревожилась за сестру, но не хотела показать своего беспокойства матери. Она хорошо знала, что, если уж Джинни вбила что-то себе в голову, переубедить ее — пустая затея. И так — во всем. Веронике тоже упрямства не занимать, но у нее оно обычно проявлялось иначе — в твердости принципов и убеждений.

— А уж как я не хочу, — вздохнула Олимпия. Джинни, судя по всему, уже неслась вперед на всех парусах. — Пожалуйста, Вер, прошу тебя — пригляди за сестрой. И, если понадобится, постарайся ее урезонить, — заговорщически шепнула Олимпия, а Вероника в ответ закатила глаза.

— Скажешь тоже! Ты же, мам, знаешь, — с нашей Джинни такие вещи не проходят. Когда это она слушала чужие советы?! А теперь, когда она по уши втрескалась, и подавно не станет!

И действительно, Джинни если и принимала помощь, то лишь когда дело доходило до зализывания ран. Она уж если падала, то во весь рост. Разрыв любых отношений становился для нее равносилен концу света. Может быть, именно пример сестры и повлиял на Веронику, не позволявшую себе серьезных увлечений. А может, дело было в ее более спокойном темпераменте и характере. Вероника была более волевой и уравновешенной и умела обуздать свои эмоции. Во всяком случае, так считала Олимпия, а уж она-то знала своих дочерей.

— А у тебя как дела? У вас с этим Джефом отношения серьезные? Он нравится тебе?

— Да ничего особенного, — небрежно отвечала дочь. — Я пока не настроена ни на что серьезное, кроме учебы, так что, мам, не переживай.

В вопросах личной жизни Вероника всегда была очень замкнутой, ни с матерью, ни даже с сестрой она не откровенничала. Решения, как и ее брат, принимала всегда сама. В этом смысле она и Чарли скорее пошли в отца, чем в мать. Джинни и Олимпия были куда более открытыми и не стеснялись выкладывать все, что у них на душе. У Олимпии секреты не задерживались, вот и Джинни такая же, душа нараспашку.

— Нормальный парень. Всего лишь приятель, — без энтузиазма продолжала Вероника.

— А почему ты его на бал пригласила? — спросила Олимпия, желая все-таки разузнать хоть что-то о друге своей дочери.

Она по-прежнему боялась, что Вероника может в последний момент передумать или сочинить какую-нибудь вескую отговорку, чтобы не появиться на балу. Это было бы вполне в ее духе. Поэтому Олимпия и опасалась откровенно давить на дочь — Вероника в любую минуту могла закусить удила.

— Надо же мне было кого-то пригласить! Любой другой мой приятель поднял бы меня на смех, стоило бы только заикнуться. Вот я и решила обратиться к тому, кто настроен более терпимо. Джеф тоже считает, что это глупейшее мероприятие, но обещал меня не подвести.

Вероника не стала говорить о том, что Джеф предложил перед ее выходом накуриться марихуаны. Маме это знать не обязательно. Сама же Вероника считала это предложение прикольным, но не была уверена, что она его примет.

— А как он хоть выглядит? Приличный мальчик? — осторожно спросила Олимпия. Вероника с явным раздражением покосилась на мать.

— Нет, мам, у него три головы, а изо рта торчит клык. Говорю же тебе — он нормальный! В большинстве случаев. Правила он знает, так что все будет как надо.

— Что ты имеешь в виду? В большинстве случаев — это как понимать? — допытывалась Олимпия. — А как он выглядит в редких случаях?

— Немного панковатый, но в рамках допустимого. На голове обычно спайки делает — ну знаешь, когда волосы торчком стоят, — но говорит, что на дебют своей сестры причесался как положено. Да все будет в порядке, мам, не волнуйся!

— Надеюсь, — вздохнула Олимпия. Объяснения дочери ничуть ее не успокоили.

Предстоящее мероприятие начинало ее волновать все больше, и ведь рядом с ней не будет Гарри, который всегда ее поддерживал и умел успокоить. С ней за столом будут сидеть Фрида, Маргарет Вашингтон с мужем, еще одна пара, приятель Джинни Стив и Чонси с Фелицией. Разношерстная компания, если сказать деликатно. А девушки со своими спутниками будут сидеть за другим столом.

Перед отъездом Чарли Олимпия поговорила с сыном о предстоящем событии и поделилась своими страхами. Но Чарли постарался развеять опасения матери.

— Всего-то один вечер, — сказал он. — Что вообще может случиться? Ну, выйдут, сделают поклон, пройдутся по залу. Отец с ними станцует, а дальше — все как на обычном приеме с ужином, выпивкой и танцами. Ну, что там может быть не так? По-моему, мама, ты слишком много думаешь об этом событии и сама себя накручиваешь. Я просто тебя не узнаю — ты всегда такая разумная и выдержанная, а тут...

— Тебя послушать — все так просто... — улыбнулась Олимпия.

Так похоже на ее мальчика — он всегда умел сгладить острые углы и успокоить ее. Вот кто был ей настоящим утешением! Олимпия не знала с ним никаких неприятностей, напротив, Чарли всегда разрешал проблемы, если они возникали с другими детьми, что часто случается в любой семье. Он был их домашним миротворцем, как старший, всегда проявлял недетскую ответственность, словно стараясь взять на себя все то, чем когда-то пренебрег его отец.

— На самом деле все очень просто, — улыбнулся Чарли. И снова, как и в начале лета, за его улыбкой Олимпии почудилась печаль. Тогда сын объяснил свое нерадостное настроение гибелью друга.

— У тебя все в порядке? — Олимпия заглянула сыну в глаза, но не смогла в них ничего прочесть.

Однако материнское чутье говорило ей, что сын что-то скрывает. В душе Олимпия надеялась, что у него не случилось серьезных неприятностей, и успокаивала себя тем, что Чарли по натуре человек вдумчивый и глубокий, и причина может лежать в отвлеченных от реальной жизни сферах.

— Мам, у меня все хорошо! Ну что ты опять напридумывала?!

— Точно? Не разочаровался в учебе?

— Нисколько. У меня же диплом почти в кармане.

Олимпия подумала, что в жизни Чарли наступает непростой период. В июне он получает диплом и должен будет определиться с выбором дальнейшего пути. Чарли намеревался слетать в Калифорнию и пройти собеседование в фирме отца его друга. Он решил сделать это не на Рождество, а позже, в весенние каникулы. Еще он подал заявление в Оксфорд, а также послал документы в Гарвард на факультет богословия. У Чарли были большие планы, но надо было делать выбор и принимать ответственное решение. Впереди целая жизнь, а определить ее он должен сейчас. Ее сын, ответственный и серьезный, не давал себе права на ошибку.

— Не стоит так тревожиться из-за того, чем будешь заниматься в дальнейшем. Все образуется, я уверена, ты сделаешь правильный выбор. Все будет хорошо, сынок, я верю в тебя!

— Мам, я знаю, что все будет в порядке. — Чарли обнял мать и поцеловал ее. — Ты тоже не волнуйся. Ты с отцом в последнее время не разговаривала?

Олимпия покачала головой:

— После лета — ни разу. Последняя наша беседа касалась Вероники и ее решения не ехать на бал. Отец был взбешен, наговорил глупостей. Словом, разговор у нас был на повышенных тонах.

— Может, тебе стоит переброситься с ним хотя бы парой слов, не то на Аркадах вы будете чувствовать себя неловко.

Чарли прекрасно знал, какую неприязнь мать испытывает к Фелиции и какие у нее напряженные отношения с бывшим мужем, хотя Олимпия никогда внешне не проявляла своих чувств и не давала резких оценок.

Для детей оставалось загадкой, как их родители вообще могли пожениться. Двум таким разным людям прожить вместе семь лет — это не шутка. Возможно, теперь, став взрослыми, они лучше понимали, почему мать вышла замуж за Чонси Уокера. Молодость — время иллюзий, соблазнов и надежд. Да и сама Олимпия в двадцать два года была другой. Она воспитывалась в строгих правилах аристократической семьи, а Чонси был человеком их круга. А разве объяснишь теперь детям, как хорош был Чонси?! Чарли, правда, считал, что мать вышла замуж прежде всего потому, что сама рано лишилась родителей и ощущала потребность в стабильности и семье. Вот и захотела создать эту семью. Но с годами они оба изменились, матери стали близки иные воззрения, образ жизни мужа стал ей чужд, и они отдалились друг от друга. Теперь же они и их семьи и вовсе будто живут на разных планетах.

Мамин образ жизни был близок Чарли куда больше. Он обожал Гарри, тем более что и Гарри всегда прекрасно у нему относился. Но одновременно он испытывал сыновнюю привязанность и верность отцу, при том что видел все его недостатки, всю ограниченность. А к Фелиции Чарли всерьез вообще не относился.

Чарли, впрочем, считал мачеху вполне безобидной. Мать с ним в такой оценке не соглашалась. В ее глазах вторая жена Чонси была воплощением злобной глупости. Видимо, причина такой оценки Олимпии крылась в том, что Фелиция ее страшно ревновала и никогда не упускала случая отпустить при встрече какую-нибудь ядовитую реплику, как правило — неумную. К счастью, виделись женщины редко.

Чарли понимал, что его матери будет непросто на балу без Гарри, и жалел, что тот не сумел ради нее преодолеть свое предубеждение. Но теперь уж, видимо, и не преодолеет. Чарли для себя решил, что в отсутствие Гарри сделает все, чтобы поддержать мать. А его совет позвонить Чонси, чтобы заблаговременно навести мосты, был, безусловно, здравым. Он знал, отец будет польщен. Чонси обожал, когда ему оказывали знаки внимания, от этого он становился значительнее в собственных глазах.

— Пожалуй, позвоню, — неуверенно согласилась Олимпия. Ей такая перспектива вовсе не улыбалась, но она понимала, что сын прав — это был разумный совет. — Навестишь отца в зимние каникулы?

— Да, думаю съездить к ним на пару дней, перед нашим отъездом в Аспен.

Олимпия с мужем и детьми запланировали недельную поездку в Колорадо на горнолыжный курорт. Они делали так из года в год. Все с нетерпением ждали эту поездку.

Чарли никогда не говорил матери, что ему гораздо больше нравилось проводить время в их компании, нежели с Чонси и его семьей. Однако понятие Чарли о сыновнем долге обязывало его наведываться к отцу. И он не переставал надеяться, что, может, на этот раз они с отцом сойдутся поближе, найдут более глубокие точки соприкосновения. Пока же этого, увы, не случилось. Чонси был человеком поверхностным в отличие от собственного сына.

— Он жаждет показать мне своих новых пони, — вздохнул Чарли. — Ну просто как ребенок!

Он знал, что отец очень разочарован тем, что сын не интересуется игрой в поло. Чарли ездил с ним верхом и даже в Европе участвовал в псовой охоте, но поло его совершенно не увлекало. А вот у Чонси это была настоящая страсть.

— Не хочешь в Аспен кого-нибудь из своих друзей привезти? — спросила сына Олимпия.

Они арендовали в горах домик, и Олимпия всякий раз предлагала детям пригласить кого-нибудь из их друзей. С друзьями всегда веселей. Но Чарли, после некоторого замешательства, покачал головой:

— Да нет, буду кататься с девчонками. Или с Гарри.

Олимпия обычно оставалась с Максом на «малышовых» склонах. Остальные члены семьи гоняли отчаянно, но всех превосходил Чарли.

— Если надумаешь — не стесняйся! Места всем хватит. Можешь даже двоих ребят привезти. Или девушку, если захочешь. — Она улыбнулась, надеясь на откровенность сына.

Если Чарли захочет пригласить подружку, ее можно будет поселить в одной комнате с двойняшками. Семья Олимпии была радушная, и двери дома были открыты для всех.

— Если таковая найдется, я тебе сообщу.

Тебя ведь это интересует — есть ли сейчас у меня девушка?

В данный момент у Чарли не было постоянной девушки. После неудачного романа на втором курсе он оставался один. В старших классах у него случались увлечения, но в последние пару лет ничего значительного в его личной жизни не происходило. Чарли был весьма разборчив. Олимпия часто говорила, что Чарли нужна особенная девушка, наделенная многочисленными достоинствами и глубиной натуры. Из всех ее детей Чарли был самый серьезный. Трудно было представить, что отец и сын могут быть настолько непохожими людьми.

Вечером Чарли улетел в Дартмут, а на следующее утро уехали и девочки.

Перед отъездом Джинни в который раз примерила бальное платье и, сияя от удовольствия, долго крутилась перед зеркалом. Она явно очень себе нравилась. Веронику же еле уговорили примерить бальный наряд, но Олимпия хотела убедиться, что платье на ней сидит идеально и никакой подгонки не требуется. Когда они приедут в декабре, времени до репетиции бала совсем не останется.

— Туфли у вас, по-моему, есть, да?

Джинни купила себе туфли еще в июле, скромные атласные лодочки, украшенные маленькими жемчужинками — как раз к ее платью. Им тогда повезло, что такие попались. А Вероника уверяла, что у нее в шкафу лежат белые туфли из переплетенных полосок атласа.

Вечерние сумочки у обеих дочерей были приготовлены. И длинные белые перчатки. И по нитке жемчуга в комплекте с сережками, которые Олимпия дарила им на восемнадцатилетие. А больше ничего как будто не требуется.

— Вероника, ты когда в последний раз видела свои белые туфли? Ты уверена, что они подойдут к платью? — озабоченно спросила Олимпия.

— Уверена! — зло бросила Вероника. — Ты хоть понимаешь, насколько больше было бы пользы, если бы мы потратили эти деньги на голодающих в Аппалачах?

— Одно другого не исключает. Мы с Гарри достаточно жертвуем на благотворительность, ты не забыла? А общественные работы он ведет больше кого бы то ни было, я тоже стараюсь не отставать. Ты не должна чувствовать себя перед кем-то в долгу из-за одного платья и пары туфель!

— Я бы лучше потратила этот вечер на работу в приюте для бездомных!

— Очень благородно с твоей стороны! Сможешь искупить свои грехи, когда вернемся из Аспена.

Девочкам предстояли каникулы длиною в месяц, и Олимпия не сомневалась, что большую их часть Вероника посвятит именно такой деятельности. Она уже работала волонтером в приютах для бездомных, преподавала на курсах обучения грамоте, сотрудничала в своем любимом детском центре в Гарлеме, куда принимали детишек, подвергшихся жестокому обращению. Веронику никто не смог бы упрекнуть в отсутствии гражданской ответственности. Вот Джинни — другая история. Эта с легкостью проведет месяц отдыха в общении с подружками, будет бегать по вечеринкам и магазинам.

Олимпия желала своим дочерям одного — чтобы при всей их несхожести они любили и уважали друг друга. И до сих пор ее усилия в этом направлении приносили успех. Несмотря на споры из-за злополучного бала, Вероника с Вирджинией были преданы друг другу и братьям, а те платили им взаимностью.

На другой день после отъезда девочек Олимпия отправилась на работу. Гарри ушел еще раньше. Дождавшись, когда школьный автобус заедет за Максом, она помчалась в офис, где ее ждали текущие дела. Пробежав глазами список неотложных звонков, она немедленно перезвонила всем, кто пытался с ней связаться. Во второй половине дня Олимпии предстояло отправиться в суд.

В обеденный перерыв она позвонила Чонси. По зрелом размышлении она оценила совет Чарли. Ее сын был прав: она должна попытаться растопить лед и наладить отношения, насколько это было возможно. С этим Чонси у нее всегда были проблемы. Бывший муж служил для нее источником беспрестанного раздражения, и с этим Олимпия ничего не могла поделать.

В Ньюпорте к телефону подошла Фелиция, и они немного поговорили — так, ни о чем особенном, в основном о детях. Фелиция была недовольна школой в Ньюпорте, ее злило, что детей заставляют носить форму и не разрешают надевать модные шмотки, которые она накупила им в Бостоне и Нью-Йорке. Однако у Фелиции хватило сообразительности сказать, что она с нетерпением ждет первого бала девочек.

Олимпия поблагодарила ее и попросила к телефону Чонси. Фелиция сказала, что он только что вернулся из конюшен — на обед.

Олимпию до сих пор поражало, как ее бывший муж умудряется без зазрения совести уже пятнадцать лет бить баклуши и проживать фамильное состояние. Ей такая жизнь казалась немыслимой, сама Олимпия ни при каких обстоятельствах не отказалась бы от работы. Она любила свою работу и ценила Гарри за его профессиональные достижения. Чонси же и не ставил себе в жизни подобных задач. Он получил немалое наследство и считал, что играть в поло и покупать лошадей — это тоже серьезное дело. В начале их совместной с Олимпией жизни он пытался начать свою карьеру в семейном банке, но работа его не увлекла, и он быстро забросил службу, ведь она требовала определенных усилий. Зачем ему головная боль? Теперь же Чонси жил в свое удовольствие, собственная праздность его нисколько не смущала. Он часто повторял, что работа — это для «масс». Он же оставался снобом до мозга костей.

Чонси взял трубку, сдва отдышавшись. Он был удивлен, услышав от жены, что звонит Олимпия. Она никогда ему не звонила сама, только в случае каких-то неприятностей. Если же требовалось что-то ему сообщить,

Олимпия обычно пользовалась электронной почтой.

— Что-то случилось? — спросил Чонси обеспокоенно.

Если бы позвонил он, Олимпия удивилась бы не меньше. Никакой необходимости в частых разговорах у них не возникало, а потребности в простом человеческом общении у них давно уже не было. Чонси так и не смирился с выбором Олимпии, будь то ее решение заняться юриспруденцией или брак с евреем. Точно такое же недоумение вызывал у Олимпии его образ жизни и выбор спутницы. Фелиция во всем была полной противоположностью Олимпии, может быть, поэтому ее бывший муж и сумел удержаться в этом браке и, похоже, был даже счастлив в семейной жизни.

Но, как бы то ни было, у них с Чонси были общие дети, что вынуждало поддерживать отношения, хотя по необходимости. Сейчас как раз был такой случай, потом будут и другие — свадьбы, крестины... Олимпия понимала, что должна примириться с такой перспективой и по-умному строить свои отношения с бывшим мужем. Теперь, когда их общие дети выросли, поводов для общения, слава богу, стало значительно меньше — дети сами могли общаться с отцом, и ее посредничество становилось уже необязательным.

— Нет-нет, Чонси, не беспокойся, у нас все в порядке. Прости, что потревожила, я не задержу тебя надолго. Я по поводу предстоящего бала. Даже не верится, что он состоится так скоро. Вы уже решили, где остановитесь в Нью-Йорке?

— У брата Фелиции. Он сейчас в Европе, квартира пустая.

Олимпия знала, что шурин Чонси занимает роскошный пентхаус на Пятой авеню, с потрясающим видом на парк, с ванной на террасе под стеклянной крышей. Брат Фелиции был убежденный холостяк, он был немного старше своей сестры. Его главным интересом были романы с голливудскими старлетками и европейскими знаменитостями. Когда Вероника и Вирджиния видели его в последний раз, они только и говорили, что о его новом роскошном «Феррари».

— Отлично, — мягко проговорила Олимпия. — Вы надолго собираетесь остаться в Нью-Йорке?

Она раздумывала, не требуют ли приличия пригласить их в гости, но делать это ей, надо признаться, очень не хотелось. Да и Гарри вряд ли обрадуется. Мужчины с трудом выносили друг друга. Гарри хотя бы держал себя в рамках приличия, Чонси же вел себя надменно. Похоже, любое приглашение семейства Уокеров было обречено на неудачу.

— Мы пробудем только один уик-энд. Как там себя Вероника ведет? Больше не выкидывает номера? — поинтересовался Чонси.

— Нет, она успокоилась, нашла себе кавалера для бала. Какого-то юношу по имени Джеф Адамс. Они вместе учатся. Клянется и божится, что он — вполне респектабельный молодой человек. Надеюсь, она отдает себе отчет в том, что значит респектабельность.

— Если нет, его оргкомитет вышвырнет уже с репетиции. Не знаешь, кстати, кто его родители? Приличные хоть люди? — Чонси не спросил, не числятся ли они в Социальном реестре, но Олимпия и так знала, что именно это его и интересует.

— Не имею представления. Она только сказала, что в прошлом году дебютировала его сестра. — Для Чонси это был хороший знак. Значит, приятель Вероники тоже принадлежит к сливкам общества, во всяком случае, его родители несомненно.

— Ты могла бы и поинтересоваться. Ну да ладно, спроси у нее, как зовут его отца. Поищу их в Реестре, может, мы даже знакомы.

По его мнению, это бы помогло хоть что-то прояснить. Социальный реестр Чонси почитал, как Библию. Это было его Священное Писание. Олимпия в этот Реестр не входила, хотя ее родные когда-то там фигурировали. Ее вычеркнули после того, как она вышла замуж за Гарри и навсегда исчезла из светского общества. После развода она перестала участвовать в светской жизни. Пару лет, из приличия, ее еще включали в списки, но потом, после второго замужества, вычеркнули раз и навсегда. Для Чонси это была настоящая драма. Что до Олимпии, то она лишь посмеялась.

— Не думаю, что надо гладить Веронику против шерстки, она у нее и так дыбом. Спасибо, что она вообще согласилась поехать на бал.

— Пожалуй, ты права, — согласился Чонси трагическим голосом. Можно было подумать, что они сумели предотвратить страшную трагедию, чуть ли не конец света. Чонси ни на минуту не мог представить себе, что его дочь может не явиться на первый бал. Это была бы для него настоящая катастрофа. — Надо полагать, платья у них уже есть? — спросил он, стараясь, со своей стороны, поддержать беспечный тон беседы.

Чонси был удивлен, что Олимпия сама позвонила ему без всякой видимой причины, и это его насторожило. Но если это сделано без задней мысли, тогда это очень мило с ее стороны. Обычно им приходилось общаться в конфликтных ситуациях, и Олимпия всегда была взвинчена во время разговора. Сегодня же она была настроена вполне доброжелательно.

— Они будут неотразимы, — заверила Олимпия. — Платья роскошные!

— Меня это не удивляет, — великодушно заметил Чонси. — Вкус у тебя отменный.

Уж во всяком случае, лучше, чем у Фелиции, это он готов был признать. У Олимпии вкус был безукоризненный. Фелиции же его подчас недоставало, хотя ни той, ни другой Чонси бы этого никогда не сказал.

— Твой муж будет? — Он сам не знал, зачем спросил, наверное, из приличия, но его удивило замешательство бывшей жены.

— Нет. У него какое-то серьезное семейное мероприятие в этот день. — Но тут она вспомнила, что Фрида-то поедет, и решила сказать правду: — Вернее, дело не в этом. Он считает этот бал некорректным мероприятием, поскольку он устраивается для избранных и кто-то неизбежно остается за бортом. Вот он и отказался — в знак протеста.

— А жаль! — неожиданно сказал Чонси. — Ну, ничего, мы с Фелицией тебе скучать не дадим.

Давно уже она не слышала от бывшего мужа таких любезностей. Олимпия была рада, что послушалась совета Чарли. Лед был растоплен, отношения вернулись в более или менее нормальное русло, что было особенно важным, учитывая предстоящее событие. Девочки будут нервничать, она, скорее всего, тоже, ведь ей придется их одевать, везти, следить за тем, чтобы все прошло гладко. Не говоря уже о Веронике с ее презрительным отношением к мероприятию и спутником, которого Олимпия в глаза не видела!

Олимпия понимала, что дочь еще в состоянии выкинуть номер и в самый последний момент заартачиться. Она молила Господа, чтобы этого не произошло, и уже неоднократно заклинала Гарри не трогать Веронику и не провоцировать на глупости. Тот обещал не поднимать этой темы.

— К вашему приезду ничего не нужно организовать? — великодушно предложила Олимпия. — У меня есть хороший парикмахер, если Фелиции понадобится. Могу ее заранее записать.

— По-моему, у нее есть свой. Но все равно — спасибо. Береги себя, Олимпия, не позволяй девчонкам действовать тебе на нервы! До встречи! Я рад, что мы поговорили так славно.

Олимпия повесила трубку и еще долго сидела неподвижно, глядя на телефон. Она так задумалась, что даже не заметила, как с папками в руках вошла Маргарет.

— У тебя такой вид, будто ты волка увидела. Что-то не так?

— Да нет, все в порядке. Это был волк в овечьей шкуре. Чарли мне посоветовал позвонить Чонси. И оказался прав — удалось подготовить почву для нормального общения на Аркадах. Я только что с ним говорила.

Ушам своим не верю, Чонси был сама любезность!

Олимпия действительно была поражена до глубины души. Чонси был гораздо любезнее, чем Гарри, когда речь заходила о предстоящем бале. Впрочем, это можно было понять: светские рауты — стихия Чонси, а для Гарри — это чужой и непонятный мир.

— Ну что ж, уже неплохо, — улыбнулась Маргарет.

— Он за пятнадцать лет мне столько добрых слов не сказал, сколько сейчас. Наверное, на радостях, что девчонки выходят в свет. Он этому такое значение придает!

— Это и в самом деле большое событие. Они получат удовольствие. Надеюсь, и ты тоже. Я уже жду не дождусь. Ни разу не была на таком балу. Я себе даже платье купила, представляешь?!

— Я тоже. Мы с Фридой уйму времени потратили, да и денег тоже, зато теперь в полной боевой готовности.

— Гарри так и не передумал? — осторожно

поинтересовалась Маргарет, кладя бумаги на стол. Она пришла проконсультироваться с коллегой, но не могла не обсудить тему бала.

— Нет. И вряд ли передумает. Как мы только его ни уговаривали! Я капитулировала. Хорошо хоть, Чонси в кои-то веки ведет себя прилично. Правда, еще не факт, что он будет так же мил в самый ответственный момент.

Чонси любил выпить, правда, теперь это случалось реже, чем в годы их супружества, как говорили их общие друзья. В молодости Чонси напивался почти ежедневно. Вначале алкоголь придавал ему обаяния и романтизма. С годами, выпив, он стал впадать в агрессию. Невозможно предсказать, каким Чонси будет на балу, когда выпьет четыре мартини и бутылку вина или, еще того хуже, бренди. Но на данный момент он вел себя достойно, а это уж забота Фелиции — следить, чтобы муж не перебрал. Слава богу, от Олимпии теперь этого не требуется. Фелиция тоже была не прочь выпить, в этом отношении они были два сапога пара. Сама же Олимпия к спиртному относилась равнодушно, как и Гарри.

— Олли, не волнуйся! Я буду рядом, — заверила Маргарет. — Все будет хорошо!

— Ты мне будешь очень нужна, — сказала Олимпия и решительно придвинула к себе папки с документами. Маргарет устроилась напротив и принялась объяснять, что к чему.

К удивлению Олимпии, после разговора с Чонси в ней, вопреки всему, почему-то поселилось предчувствие, что день первого бала дочерей станет еще бо́льшим испытанием, чем можно было себе представить. Особенно без поддержки Гарри!

Глава 5

До бала оставалась ровно неделя. В субботу Олимпия проснулась с высокой температурой. Она два последних дня чувствовала себя неважно. Саднило в горле, болел живот, нос заложен. А к вечеру субботы она разболелась окончательно. Термометр показывал тридцать восемь с лишним. В воскресенье ей немного полегчало, но взбунтовался желудок. Рези в животе были такими сильными, что, когда Олимпия спустилась на кухню, она с трудом сдерживала слезы.

Гарри готовил сыну завтрак. Олимпия сразу заметила у Макса нездоровый румянец. После завтрака она поставила ребенку градусник. Тридцать девять! Макс хныкал и жаловался, что чешется живот. Осмотрев тело сына, Олимпия обнаружила у ребенка обильную сыпь. Вся кожа была покрыта крошечными красными точками, и, когда она заглянула в книгу доктора Спока, которую хранила еще с рождения старшего сына, поняла, что у малыша, как она сразу и подумала, ветрянка.

— Господи! Ну почему именно сейчас?! — воскликнула Олимпия и в сердцах отшвырнула ни в чем не повинную книгу.

На этой неделе им никому нельзя было болеть. Ей надо быть в строю, у нее на работе куча новых дел, а Маргарет взяла недельный отпуск. Оставлять Макса на попечение няни, когда он болен, было не в ее правилах. Да еще не факт, что она сама поправится и сможет выйти на работу.

Олимпия позвонила педиатру, тот посоветовал щедро намазать тело Макса цинковой болтушкой и держать в постели. Главное, сказал доктор, чтобы мальчик не расчесывал воспаленные места.

К счастью, у самой Олимпии температура начала спадать. Самочувствие по-прежнему было отвратительное, но у нее по крайней мере, скорее всего, был грипп или тяжелая простуда, так что через несколько дней она должна поправиться.

Во вторник вечером должен был приехать Чарли, он поможет ей с младшим сыном. А в среду после обеда прилетают девочки.

В воскресенье вечером позвонила Джинни. Говорила жутким голосом — оказалось, у нее бронхит, и девушка кашляла в трубку так, что в ушах у Олимпии звенело.

— Завтра никуда не ходи, полежи денек! — посоветовала мать. Было ясно, что пока о поездке домой не может быть и речи.

— Не могу, мам. У меня же экзамены! — возразила Джинни и разрыдалась.

— Попроси перенести, ты же сейчас не в состоянии никуда выходить! — убеждала дочь Олимпия.

— Переносы принимаются только по пятницам. Тогда я домой попаду не раньше позднего вечера пятницы!

Вирджиния жалобно всхлипнула. Она

ужасно себя чувствовала, но пропускать бал, назначенный на следующие выходные, — такого она и представить себе не могла.

— У тебя, мне кажется, выбора нет.

— А представляешь, нос распухнет?

— Это еще не самое страшное. Завтра же сходи в медпункт, пусть тебе дадут антибиотики, чтобы окончательно не разболелась. В общем, немедленно прими меры!

Голос у Джинни был ужасный. Вероника пока держалась, но, учитывая, что они с сестрой живут вместе в крохотной комнате, Олимпия могла предположить, что и она заразится.

— У Макса ветрянка, — убитым голосом сообщила она дочери. — Слава богу, вы все переболели в положенное время. Не хватало еще сейчас... Он тоже себя ужасно чувствует, бедняжка. В общем, не дом, а лазарет...

Ну и неделя! Все разболелись, и главное, так не вовремя.

В понедельник Олимпия почувствовала себя лучше, а вот Максу стало хуже. Джинни позвонила сообщить, что ей прописали антибиотики, и оставалось надеяться, что к концу недели ей полегчает. Она сходила на письменный экзамен и теперь, всхлипывая, твердила, что наверняка все завалила. Успела сказать, что ее приятель Стив оказался порядочным придурком, но все равно обещал сопровождать ее на бал. Олимпии показалось, что это любезность сомнительного свойства, но она не стала выспрашивать, тем более что в этот момент к Максу пришла нянька, а ей было пора убегать на работу — несмотря на болезнь сына, остаться с ним дома она не могла.

Весь день Олимпия сидела в кабинете, сморкалась и вытирала слезы. Живот больше не болел, но из носа лило, голова раскалывалась. Каждый час она звонила домой и справлялась о малыше. Нянька успокаивала, говорила, что чувствует он себя неплохо, но к вечеру Макс весь покрылся сыпью.

Утром начался снегопад, к обеду город накрыло снежным покрывалом толщиной пять дюймов. По радио сообщили, что завтра занятия в школах отменяются: ночью опять ожидался сильный снегопад, а к утру — буран.

Олимпия решила позвонить свекрови, узнать, как там она. Надо предупредить ее, чтобы не выходила из дому — с учетом похолодания гололед неизбежен, не дай бог, поскользнется и сломает ногу или руку. Олимпия набрала номер, но в ответ раздались длинные гудки.

Олимпия просидела на работе почти до шести, а потом так долго ловила такси, что совсем окоченела. Домой приехала, продрогнув до костей. Макс сидел в подушках и смотрел кино по видео. Он был с ног до головы намазан цинковой болтушкой.

— Привет, солнышко. Как ты?

— Чешется! — жалобным голосом пожаловался Макс. У него опять поднялась температура.

На работе у нее выдался ужасный день, сплошные стрессы. А Гарри оставил на автоответчике сообщение, что из-за неотложных дел вернется не раньше девяти. Уж скорее бы Чарли приезжал! Хоть Максу повеселее станет. Вид у малыша был совершенно несчастный. Чарли с ним прекрасно ладил, и Олимпия очень на него рассчитывала. Отсутствие мужа было весьма некстати, особенно учитывая ее собственное недомогание.

Она приготовила себе и Максу куриный бульон, запекла пиццу в микроволновке, но аппетита у малыша не было никакого. Да и самой Олимпии есть не хотелось. Она заставила себя выпить кружку горячего бульона, чтобы немного взбодриться.

Едва Олимпия уложила малыша спать, погасила свет и направилась к себе, предвкушая горячую ванну, как раздался звонок.

Звонила Фрида справиться о здоровье внука.

— Бедняжка, у него такой жалкий вид! Весь обмазан болтушкой. У него сыпь даже на ушах, на носу, во рту...

— Бедненький... А как твоя простуда? Или это вирусная инфекция?

— Не знаю, — созналась Олимпия. — Боюсь подумать, что будет, если я к субботе не приду в себя.

— Я тоже, — пробурчала Фрида.

Олимпия не узнавала голоса свекрови. Сначала она не заметила, но теперь отчетливо слышала, что та говорит как-то невнятно. Олимпия сначала подумала, что свекровь выпила чего-нибудь крепкого, но потом она испугалась, не инсульт ли это. Пять лет назад у Фриды случился инфаркт, но с тех пор на здоровье она не жаловалась.

— С тобой все в порядке? — забеспокоилась Олимпия.

— М-м... да... — Старушка замялась, и невестка уловила, что голос у нее дрогнул. — Честно говоря, сегодня со мной кое-что произошло, — смущенно проговорила Фрида.

Она дорожила своей независимостью, прекрасно справлялась с хозяйством и не хотела быть никому обузой. Когда заболевала, старалась не говорить о своих болячках, а признавалась обычно спустя много дней.

— Что случилось? — встрепенулась Олимпия, в очередной раз вытирая нос.

Последовала долгая пауза, и Олимпия вдруг испугалась, не заснула ли Фрида с трубкой в руке. Нет, она определенно выпила.

— Фрида? — окликнула Олимпия и услышала слабые звуки в трубке.

— Прости... У меня немного голова кружится. Когда объявили, что будет метель, я решила, пока погода позволяла, дойти до магазина. Поскользнулась. Но теперь все в порядке. — Судя по ее голосу, в это верилось с трудом.

— Что случилось? Ты не ушиблась?

— Ничего серьезного, — успокоила Фрида. — Через несколько дней буду в норме.

— Что значит «в норме»? Ты с врачом говорила? Что сказал врач?

Снова повисла долгая пауза.

— Я сломала лодыжку, — призналась Фрида. — Под снегом оказался лед, ну я и поскользнулась... Так обидно! А еще под ноги смотрела, осторожно шла...

— О господи, ужас какой! Так ты была у врача? Почему мне сразу не позвонила?

— Я же знаю, как ты на работе занята. Не хотела беспокоить. Я позвонила Гарри, но не дозвонилась. Совещание...

— Он до сих пор совещается, — сказала Олимпия, крайне расстроенная происшествием и тем, что ничем не смогла помочь. — Надо было мне позвонить, Фрида! — И как она там одна справилась?!

— Ничего страшного, меня на «Скорой» увезли в университетский госпиталь.

Фрида не сказала, что это было целое приключение и в травматологии она проторчала до вечера.

— Так у тебя нога в гипсе?

Олимпия была в ужасе. Что там ветрянка, что бронхит, что ее собственная простуда!

— По самое колено.

— Как же ты домой добралась?

— Никак.

— Никак? Так ты где?! — Час от часу не легче!

— Пока еще в госпитале. Они меня одну не отпустили. Представляешь, теперь несколько недель на костылях скакать! Слава богу, что я не сломала шейку бедра!

— Боже мой, Фрида! Я сейчас же приеду за тобой. Поживешь у нас.

— Ни за что! Не хочу быть вам обузой. Завтра мне станет легче. А на бал я все-таки поеду!

— Конечно, поедешь. Мы достанем тебе кресло-коляску.

У Олимпии в голове уже крутилась мысль, как это можно будет организовать. Ну почему все неприятности словно дожидались этой последней перед балом недели, чтобы обрушиться на них?!

— Нет, я пойду своими ногами! — заупрямилась Фрида, хотя врачи ей уже сказали, что несколько недель она не сможет наступать на левую ногу. Придется передвигаться на костылях. Но она твердо решила никого не утруждать. Как всегда, она была уверена, что справится сама.

— Переночуешь у нас. Ты же болела ветрянкой, да?

— Наверное. Если б я это помнила! Это меня как раз не пугает...

Но Олимпия знала, что у пожилых людей ветряная оспа может перейти в опоясывающий лишай. Однако оставлять Фриду дома одну тоже было нельзя. Чего доброго, снова упадет и сломает что-нибудь еще. Она должна сейчас жить у них.

— Не хочу беспокоить вас с Гарри и детей, — упрямо повторила Фрида. Речь ее опять стала сбивчивой.

Олимпия наконец поняла: женщине наверняка дали обезболивающее.

— Ты нас совсем не побеспокоишь, а в больнице тебе делать нечего. Тебя могут отпустить сегодня?

— Думаю, да, — через силу проговорила свекровь.

— Я позвоню и справлюсь у сестры, потом тебе перезвоню.

Олимпия записала номер палаты и телефон сестринского поста. Фрида четко повторила номер и опять стала извиняться за причиненные неудобства.

— Успокойся и отдыхай! — строго приказала Олимпия и положила трубку. Попыталась дозвониться до Гарри, но его персональная линия была переключена на автоответчик, а секретарша давно ушла. Был уже девятый час вечера.

Олимпия позвонила в клинику, и ее заверили, что у миссис Рубинштейн все в порядке и ее оставили на ночь только для того, чтобы ей не пришлось быть дома одной. Поскольку у нее были сильные боли, ей дали викодин, но необходимости держать ее в клинике нет. Для ее возраста здоровье у нее удивительно крепкое и рассудок ясный. Дежурная сестра назвала ее «душкой». С этим Олимпия была согласна.

Потом она позвонила няньке сына и попросила прийти еще ненадолго. К счастью, женщина жила неподалеку и уже через двадцать минут звонила в дверь. Олимпия рассказала ей о происшествии. Пока нянька добиралась, Олимпия переоборудовала гостиную первого этажа в комнату для Фриды. Тут была и ванная, и телевизор, и раскладная кровать — они пользовались этой комнатой, когда гости оставались на ночь. Фрида сможет оставаться у них столько, сколько потребуется. Олимпия не сомневалась, что такого же мнения будет и Гарри. В половине девятого она вышла из дому, а уже через час вернулась вместе с Фридой. Гарри все еще не пришел с работы.

Олимпия устроила Фриду, покормила ее, включила телевизор, взбила ей подушки, отвела в ванную, а потом уложила в постель. Обессиленная Олимпия только успела подняться к себе, как приехал Гарри. Вид у него был измученный. У Гарри выдался неимоверно трудный день, в суде слушалось дело, к которому было приковано внимание прессы, что никак не упрощало жизнь ему и другим судьям.

— А кто это у нас в гостиной? — Гарри решил, что это кто-нибудь из приятелей Чарли. Обычно, когда дети собирались, в этой комнате приходилось размещать кого-то из гостей. Это была единственная гостевая комната в доме.

— Твоя мама, — ответила Олимпия, в тысячный раз вытирая нос. Вечерняя вылазка не прошла даром, насморк у нее заметно усилился.

— Мама? Что она тут делает? — опешил Гарри.

— Сломала лодыжку. Ее отвезли в университетский госпиталь на «Скорой», а она мне позвонила, только когда ей наложили гипс. Я всего полчаса назад ее привезла.

— Ты это серьезно? — Гарри не мог прийти в себя от услышанного.

— Абсолютно! — Олимпия снова высморкалась. — Она не может сейчас быть дома одна. У нее нога в гипсе, я и костыли для нее привезла. Пусть пока у нас поживет, ты ведь не возражаешь?

Гарри покачал головой.

— Как я могу возражать?! Она еще не спит?

— Несколько минут назад не спала, но ее накачали обезболивающими. Боль была, наверное, сильная. Я ей сказала, чтобы вызывала нас по интеркому, если что. И чтобы не вздумала одна ходить в туалет. Ты же ее знаешь! Не удивлюсь, если она утром кинется готовить нам всем завтрак. Придется ее к кровати привязывать.

— Пойду посмотрю, как она там, — забеспокоился Гарри и у двери оглянулся. — Я тебя люблю! Спасибо, что забрала маму, умница ты моя!

Олимпия улыбнулась в ответ.

— Другой мамы у нас с тобой нет.

— Ты лучшая жена на свете!

Гарри вернулся быстро, потрясенный видом внушительного гипса и костылей, прислоненных к кровати. Фрида уже спала.

— Я выключил телевизор, а свет оставил. Она спит как убитая. Ну и гипс!

— Сказали, перелом нехороший. Но она права: еще повезло, что это не бедро. Если это можно назвать везением. А что у тебя сегодня было, почему ты так поздно?

— Да тоже ничего хорошего. Пресса нас с ума сведет. А у тебя голос совсем больной. Ты-то как себя чувствуешь?

— Под стать голосу. Надеюсь, погода не помешает Чарли попасть домой. Вся надежда на него.

Гарри вдруг почувствовал себя виноватым.

— Прости, что не смогу взять отгул. Сейчас правда не могу.

— Я знаю, — грустно ответила Олимпия. — Я и сама не могу. На работе дел невпроворот. Маргарет взяла неделю отпуска: у нее мама легла на операцию.

— Господи, в этом городе есть кто-то, кто не болеет?

— Ты. И слава богу. — Ветрянка, перелом, простуда — любые варианты. Олимпия молилась, чтобы Вероника с Джинни прибыли на бал здоровыми, а ведь до субботы уже совсем рукой подать. — Если хочешь, ложись сегодня в комнате Чарли, — сказала она мужу. — Не хватает еще тебе заразиться гриппом!

— Не говори ерунды! Я не боюсь заразиться! И вообще, я никогда не болею. Ну вспомни, когда я болел в последний раз?!

— Шшш! — Олимпия прижала палец к его губам. — Не говори так, а то сглазишь!

Гарри рассмеялся и отправился в душ, а через полчаса уже лежал рядом с ней в кровати. Олимпия продолжала шмыгать носом и кашлять, но, перед тем как заснуть, она все же сходила проведать Макса. Мальчик крепко спал.

— Похоже, на эту неделю наш дом превращается в лазарет, — пошутил Гарри и обнял жену. Олимпия поспешно отстранилась и отодвинулась к самому краю кровати.

— Не приближайся ко мне, умоляю! Хоть кто-то в нашей семье должен остаться здоровым! Знаешь, Гарри, мне так жалко маму! Ей так не повезло! И надо же было такому случиться как раз перед торжеством.

— Зато, Олли, ей повезло, что у нее есть

ты. И мне тоже. Знай: я очень ценю все, что ты для нее делаешь. Ты удивительная женщина, и за что мне такое счастье?!

— Спасибо тебе, — прошептала Олимпия. — Ты тоже совсем не плох.

— Завтра постараюсь освободиться пораньше, — пообещал он. Олимпия кивнула и через несколько секунд уже спала.

Глава 6

Утром Олимпия поднялась в шесть часов и сразу направилась к Фриде. Свекровь еще спала и, судя по всему, ночью не вставала. Она лежала точно в той же позе, в какой ее уложила накануне Олимпия.

Вчера Олимпия дала ей ночную сорочку — большую, свободную, которую носила, когда была беременна Максом. Сейчас руки свекрови лежали поверх одеяла, и Олимпия видела татуировку, которую Фрида всегда старалась спрятать. При взгляде на это клеймо у Олимпии сжалось сердце. Господи, даже подумать страшно, что пришлось пережить маленькой Фриде в лагере! Все их сегодняшние переживания, страхи, обиды казались такими ничтожными по сравнению с тем, что испытала Фрида.

Олимпия на цыпочках вышла и поднялась наверх, чтобы принять душ. Гарри уже был почти одет. Сегодня у него с утра была назначена пресс-конференция.

В семь часов проснулся Макс. Он бодро заявил, что уже поправился, но Олимпия видела, что сыпи у него прибавилось.

— Как там наши больные? — озабоченно спросил Гарри, надевая пиджак и поправляя перед зеркалом галстук.

— К счастью, оба живы. Макс заявил, что ему лучше, а мама еще спит.

— Справишься? — повернулся Гарри к жене.

Олимпия рассмеялась.

— А у меня есть выбор?

— Пожалуй, нет, — пристыженно согласился муж.

Гарри теперь не сомневался — отпала поездка матери на бал. И у него появился законный предлог остаться с нею дома, нельзя же оставить Фриду одну в таком состоянии. Его наконец перестанет мучить совесть, что не оправдал ожиданий жены, а то в последнее время Гарри все время чувствует себя виноватым. Что, впрочем, не повлияло на его твердое решение не участвовать в мероприятии. А теперь и его мать остается дома. Не отправится же она на бал на костылях! Наступать-то на сломанную ногу она еще долго не сможет.

Ничего этого Гарри жене не сказал, но облегчение испытал большое, несмотря на волнения из-за травмы матери. Что ж, значит, это тот случай, который вмешался в ход событий.

— Не волнуйся, — заверила Олимпия. — Через полчаса придет няня. Она управится. А вечером прилетит Чарли. Пока девчонок нет, он нам поможет. А потом установим дежурство.

Гарри кивнул, но он не разделял оптимизма жены. Особенно в отношении дочерей. От Джинни в доме никогда толку не было. Вот Чарли другое дело, он действительно реальный помощник. Вероника может включиться в домашние дела, только если она в настроении и это не нарушает ее планов. Но если гражданский долг позовет ее участвовать в очередном пикете или помогать обиженным детям или бездомным, она без колебаний займется общественными делами. Помощь своим родным не входила в число ее приоритетов. Вероника, как и все в семье, привыкла полагаться на мать: как-то само собой сложилось, что забота о ближнем — прерогатива Олимпии. Такая ситуация еще больше усугубляла угрызения совести Гарри.

Через пять минут, поцеловав на бегу жену и обещав вернуться пораньше, Гарри отбыл на работу.

Олимпия нажарила Максу блинчиков, поставила видеокассету с фильмом и снова заглянула к Фриде. Та продолжала спать.

Пришла нянька. Олимпия обрисовала ей обстановку, дала указания относительно обоих подопечных, после чего, приведя себя в порядок и подхватив портфель, помчалась на работу. Земля была укрыта толстым слоем снега, но по крайней мере снегопад уже кончился. И конечно, как всегда в такую погоду, Олимпия чуть ли не полчаса ловила такси.

После обеда позвонила Маргарет — узнать, как идут дела. Олимпия лишь нервно рассмеялась, услышав вопрос коллеги.

— Значит, так... — начала она. — У Макса ветрянка, Фрида вчера сломала лодыжку и на время переселилась к нам. У меня зверская простуда. Джинни подхватила бронхит в колледже. Но, слава богу, сегодня вечером приезжает Чарли, может, удастся справиться с этим обвалом неприятностей.

— Ничего себе новости! И это перед самым торжеством!

— Вот-вот... Куда ни кинь — всюду клин. Молю бога, чтобы к субботе девчонки обе не расклеились. А там — хоть потоп.

— А Гарри хотя бы помогает?

— Да чем он сейчас может помочь? У него же процесс в апелляционном суде!

— Знаю, знаю. Видела утром его пресс-конференцию. Только что я злилась на него из-за того, что он отказался ехать с тобой на бал, как снова им восхищаюсь — он отлично ведет дело! Его позиция по этому делу безупречна. Молодец, уважаю! Он у тебя настоящий мужик, хотя и бросает тебя в субботу одну.

— Нельзя иметь все сразу! — вздохнула Олимпия. — Я его тоже люблю. Гарри борец за правое дело и готов биться до конца. К несчастью, сюда входит и его предубеждение против злополучных Аркад. Знаешь, я думаю, это обратная сторона медали. Он человек принципа и своими убеждениями не поступается. Хорошо, хоть Чонси не треплет мне нервы, надо сказать, он себя ведет достойно. Тьфу-тьфу, чтоб не сглазить...

— Не волнуйся. Если в субботу начнет тебя доставать, будет иметь дело со мной.

— А как твоя мать? Ей лучше?

— Лучше, чем я ожидала. Старая закалка, ничего не скажешь. Это поколение женщин какое-то особенное, сила воли у них — позавидуешь. Я бы уже на куски развалилась, а она продолжает радоваться жизни.

— Вот и Фрида у нас такая. Что, ты думаешь, ее вчера больше всего беспокоило? Что она будет для нас обузой! Как только Максу станет лучше, опасный период пройдет — будет тогда с бабушкой общаться. Подозреваю, он уже и сейчас у нее. Надо проверить, кстати, а то еще заразит Фриду, потом хлопот не оберешься.

— Да уж, не хватало только... — согласилась Маргарет, отдавая должное выдержке Олимпии и тому, как мужественно она переносит свалившиеся на нее трудности.

Впрочем, так было всегда. Дети, работа, муж, поддержание мира в семье, повседневные заботы. Каким-то чудом Олимпии удавалось справляться со всем этим. Наверное, это удел каждой работающей женщины. Приходится быть одновременно эффективным сотрудником и неутомимой хозяйкой дома.

Для себя Маргарет считала такой вариант неприемлемым, вот почему детей решила не заводить. С работой и мужем она еще могла управиться, но на четверых детей, как у

Олимпии, или даже на одного ее бы уже не хватило. Она даже не могла себе позволить держать дома собаку или кошку или развести цветы. Ей вполне хватало работы. Что до мужа, то он у нее был просто идеалом мужчины. Следил за порядком в доме, организовывал семейный досуг и даже готовил еду.

— Если я могу чем-то помочь — дай знать, — предложила Маргарет, но Олимпия понимала, что у той сейчас своих забот хватает. Спасибо хоть, что в субботу Маргарет будет рядом.

Взвинченные дочери, Чарли и незнакомый парень в роли сопровождающих, Фрида на костылях или в инвалидной коляске, бывший муж, от которого всего можно ожидать, — у Олимпии уже сейчас голова шла кругом.

В четыре часа на ее стол легло новое дело, но все же Олимпии удалось вырваться домой пораньше. Как она и ожидала, Макс сидел в гостиной рядом с бабушкой. Та положила больную ногу перед собой на стул. Чарли тоже уже был дома. Когда вошла Олимпия, они как раз пили чай.

— Веселая у вас тут компания! Здравствуй, дорогой!

Олимпия подошла обнять старшего сына. Она была счастлива видеть его дома, и он тоже был очень рад. Макс был по-прежнему весь в белой мази, но врач заверил, что он уже не заразен для окружающих, и теперь Фрида без опаски общалась с внуком. Они развлекали друг друга с самого обеда.

Чарли приехал за полчаса до прихода матери.

— Как вы себя чувствуете, дорогие мои больные? — поинтересовалась Олимпия.

— Лучше! — похвалился Макс.

— Отлично! — поддакнула Фрида, счастливыми глазами оглядывая мальчиков. — Хотела вот ужин стряпать, да Чарли не пустил меня на кухню.

Олимпия одобрила старшего сына:

— И правильно сделал! Закажем что-нибудь в китайском ресторане, так лучше будет.

Через час домой вернулся Гарри. Увидев Чарли, он обрадовался. А улыбка матери и веселый голосок Макса еще больше подняли его настроение. Мужчины отправились на кухню выпить пива, а Олимпия поднялась к себе и переоделась. Макс остался около бабушки, он явно был рад их общению. Они включили телевизор. Хоть Фрида и продолжала извиняться за причиненные неудобства, было очевидно, что она наслаждается обществом своих близких.

Ужин прошел оживленно, а потом все разошлись по своим комнатам, и только Чарли задержался подле матери. Было видно, что его что-то угнетает, но, когда Олимпия спросила сына, все ли у него в порядке, он в ответ покачал головой. Сказал только, что рад снова оказаться дома, и пообещал назавтра составить компанию двум пациентам домашнего лазарета. А этот вечер он собирался провести с друзьями.

Погода сегодня улучшилась, немного потеплело, и снег превратился в хлябь под ногами. Ночью, конечно, подморозит, и Олимпия предупредила Чарли, чтобы шагал осторожнее и помнил о том, что случилось с Фридой. Сын с улыбкой посмотрел на мать, крепко обнял ее и был таков. Его мать обращается с ним так, словно ему все еще пять лет.

Весь вечер Олимпия хлопотала на кухне, наведывалась к Фриде, укладывала спать Макса, потом, приняв ванну, наконец села на кровать и обратилась к мужу:

— Гарри, Чарли ничего не говорил тебе, когда вы сидели вдвоем на кухне?

— О чем?

— Ну о чем-то вы же с ним разговаривали?!

— Ну конечно, говорили. Он сказал, что опять увлекся хоккеем. Знаешь, по-моему, он успокоился относительно своего будущего. На День благодарения он приезжал какой-то напряженный, но теперь он спокоен и уверен в себе.

— Не знаю, мне так не показалось, я чувствую, его что-то гложет, — задумчиво проговорила Олимпия. Материнское сердце не обманешь!

— Он что-нибудь тебе сказал? Что тебя насторожило?

— Нет. Сказал, все в порядке. Он торопился на встречу с друзьями, обещал завтра побыть дома. Но, уверяю тебя, с парнем что-то происходит.

— Перестань искать повод для беспокойства! — сказал Гарри. — Если его что-то тревожит, он тебе непременно скажет. Чарли от тебя никогда ничего не скрывал, вспомни!

Это было правдой. Чарли мог быть сдержанным и даже скрытным, но от матери у него секретов не было. Они всегда были очень близки.

— Может, ты и прав, — неуверенно согласилась Олимпия. — Ну ладно, давай спать, — сказала она и погасила свет.

На следующий день она поделилась своими опасениями с Фридой.

— Странно, что ты об этом говоришь, — отозвалась свекровь. — Не могу тебе объяснить, но у меня вчера, когда мы пили чай, сложилось точно такое же впечатление. Мальчик или расстроен, или встревожен. Он словно погружен в себя. Может, его будущее трудоустройство беспокоит? — предположила Фрида. — Он же у нас такой ответственный!

— Он еще весной приезжал какой-то встревоженный. Нам сказал, что все дело в самоубийстве его друга. Он тогда очень переживал. Он тогда даже прошел курс психотерапии. А может, дело в чем-то другом? Гарри, например, считает, что я все придумываю.

— Мужчины таких вещей никогда не замечают, — покачала головой Фрида. — Может быть, и тревожиться нечего. Может, Чарли думает о том, кем стать после защиты диплома. Для большинства молодых это трудное время. Вот примет решение — Калифорния ли, работа ли в Нью-Йорке, богословский факультет или Оксфорд — и успокоится. Все варианты по-своему хороши, но, пока он не выбрал, так и будет на нервах.

— Наверное, ты права. Помню, что творилось со мной, когда я заканчивала колледж.

И родных, чтобы поддержать, посоветовать-ся, — никого! Я просто была в панике. Потом вышла замуж за Чонси и вообразила, что теперь сама себе хозяйка. Оказалось все совсем не так.

— Да, замуж ты выскочила слишком рано, — нахмурилась Фрида. Сама она тоже обзавелась семьей, когда была совсем моло-денькой девушкой. Но тогда все было по-дру-гому, они с отцом Гарри пережили войну и ужасы концлагерей, а в такие времена люди быстро взрослеют.

— Зато дети уже взрослые, — философски заметила Олимпия, и Фрида улыбнулась в от-вет.

— Это точно, и какие дети! Чарли чудес-ный мальчик, а девочки какие красавицы! Повезло тебе с детьми. — Фрида посмотрела на невестку с выражением решимости на лице. — Между прочим, Олимпия, имей в виду, — на бал я все равно поеду. Я такого со-бытия ни за что в жизни не пропущу! — Олим-пия недоуменно взглянула на свекровь. Она не собиралась отговаривать Фриду, и ей был непонятен вызов, прозвучавший в словах свекрови. — Значит, ты ничего не знаешь?! Гарри, я вижу, с тобой не посоветовался... Ну так вот — мой сыночек сказал, что я останусь с ним дома. Еще чего! Я на него так зла, что не хочет идти! Ну, да это его личное дело. Хочет выставить себя упрямым ослом — пускай! А я все равно поеду! Я ему так и заявила! — Глаза Фриды горели решимостью.

Олимпия с улыбкой посмотрела на свекровь.

— А я решила, что ты можешь передумать. Теперь вижу, я ошиблась.

— Конечно, ошиблась! — Вид у Фриды был довольно комичный: решительный взгляд и беспомощная поза — свекровь сидела, обложенная подушками, положив загипсованную ногу на стул.

— Давай я узнаю насчет проката инвалидной коляски? — предложила Олимпия. — Чарли завтра бы и привез.

— Конечно, вид у меня в инвалидной коляске будет тот еще! — рассмеялась Фрида. — Терпеть не могу выглядеть старой развалиной! Но, видно, придется смириться. Если получится, я согласна. А нет — буду на костылях ковылять. Во всяком случае, я уж точно буду выглядеть очень оригинально на этом балу, обращу на себя всеобщее внимание! Твои дочери мне еще позавидуют!

— Ты — чудо, Фрида! — восхитилась Олимпия. — Таких бабушек еще поискать!

— Я согласна появиться там даже на носилках, пусть меня санитары тащат. И вообще, должна же я покрасоваться в новом платье! Зря, что ли, мы с тобой мучились? Я никогда в жизни не была на первом балу и пропустить его не могу.

В глазах Фриды блеснули слезы. Для нее это был не просто бал, на котором впервые выйдут в свет ее внучки. В ее глазах он олицетворял общественное признание, которого у нее никогда не было. А вот испытаний ей досталось сполна: она знавала годы нищеты, тяжкого труда в швейных мастерских — и все ради того, чтобы дать образование сыну. И теперь, хоть раз в жизни, ей хотелось и себя почувствовать в роли уважаемой женщины, даже если ее сын не одобрит этой затеи.

И еще Фриде не хотелось пропускать первого бала внучек. Олимпия это прекрасно понимала и поклялась, что не лишит свекровь такого удовольствия. Пусть и ее мечта осуществится! Для Фриды это тоже событие огромного значения. Гарри даже представить себе не может, как это для нее важно.

— Мы все устроим, Фрида, обещаю тебе!

Оставалось решить один вопрос: кто станет катить инвалидную коляску. В субботу Олимпии уже в пять часов надо быть в отеле, помогать девочкам одеваться. Чарли тоже должен быть с ними на репетиции. Выходит, кроме Гарри, везти Фриду в отель просто некому, а тот наверняка откажется наотрез. Олимпия уже подумала, не попросить ли заехать за ней Маргарет с мужем. Она бы тогда заказала им всем лимузин. Да, ничего другого, пожалуй, и не остается.

Вечером, после ужина, Олимпия осторожно еще раз спросила мужа про бал и напомнила, что теперь, когда мама на костылях, организовать ее транспортировку к месту торжества будет намного сложнее, ей нужен помощник. Олимпия все-таки питала робкую надежду, что он согласится помочь, не ожидая ее настойчивых уговоров.

— Я маме уже сказал, нечего ей туда ехать! — раздраженно ответил Гарри.

— Но ей же так хочется! — не повышая голоса, сказала Олимпия. Она не стала объяснять Гарри, почему его матери так хотелось оказаться на этом балу. Он же чуткий сын — сам должен понимать.

— Это она из упрямства, — сказал Гарри как отрезал.

— Ну уж нет! Из вас двоих упрямец — это ты!

В голосе Олимпии прозвучала непривычно резкая нота. Гарри не хотел понять, что его матери нужна помощь, и ее это начинало бесить. Мог хотя бы отвезти туда мать, раз она так этого хочет! Да и потом, из членов семьи это мог сделать только Гарри, ведь все остальные будут заняты.

Но, видимо, это был тот случай, когда нашла коса на камень. Гарри, конечно, любил мать и жалел ее, но он не желал сдаваться и не хотел уступить Олимпии. Тем более что свое неучастие в мероприятии он объяснял принципиальными причинами.

— Мне кажется, это для нее очень важно, — настаивала Олимпия.

— Не понимаю, почему, — заявил Гарри. — Но даже если и так, я, как судья апелляционного суда, не должен поддерживать мероприятие дискриминационного характера только затем, чтобы потрафить собственной матери, жене или дочерям. Олли, я не желаю из-за этого вашего бала чувствовать себя каким-то бездушным мерзавцем! Я твердо убежден, что поступаю правильно!

— Уверена, ты был бы не первым евреем, участвующим в Аркадах. Насколько я знаю, за эти годы многие девушки-дебютантки были из еврейских семей.

— Очень сомневаюсь! Но даже если и так, я все равно вправе иметь свое мнение и его придерживаться. Не думаю, чтобы Мартин Лютер Кинг стал веселиться на балу, устроенном ку-клукс-кланом.

— А вам с Вероникой обязательно надо бойкотировать все, что вам не по душе, да? Когда она дома, я даже продукты покупаю с оглядкой — вдруг это кого-то обидит или оскорбит? Получается, если я покупаю виноград, то оскорбляю Цезаря Чавеса, если что-то южноафриканское — задеваю чувства Нельсона Манделы. Черт возьми, да как же тогда жить, если любое мое действие может кого-то задеть или оскорбить?! Это может быть истолковано так, а этого вообще нельзя допустить... К чему мы придем с таким подходом?! А в данном случае я считаю, что семья важнее твоих политических убеждений, будь они неладны! Ведь твоя мать всего-то и хочет, что поехать на бал, где ее внучки будут впервые представлены обществу. Согласна, это, может быть, и устаревшая традиция, но и только! Это праздник, у девушки такой может быть только раз в жизни, это для нее торжественный день! Неужели нельзя уступить ради одного-единственного вечера?

Олимпия уже не могла сдержать своего раздражения. Гарри же молча смотрел на жену и укоризненно качал головой. Ему казалось, что все препирательства остались позади и его неучастие — дело решенное. Но Олимпия, как видно, не желала с этим мириться.

— Прошу тебя, Олимпия, прекратим этот бессмысленный спор. Мое решение неизменно.

— Прекрасно! — отрезала жена, обдав его гневным взглядом. — Ну и сиди со своими принципами, если они тебе дороже нас!

— Твое мнение на этот счет мне известно, — негромко отозвался Гарри. Вид у него был разнесчастный. — Пойми, принципы — это не шляпа, которую можно снять, если она не подходит. Они скорее как терновый венец, который приходится носить, невзирая ни на что.

Больше Олимпия не издала ни звука и, пока окончательно не рассердилась и не наговорила лишнего, вышла из комнаты. Было ясно, что никаких компромиссов по данному вопросу не будет. Эту битву она проиграла. Нравится или нет, справедливо или нет, но уступить на сей раз придется ей.

Глава 7

Стоило явиться двойняшкам, как в доме все пошло кувырком. Подружки девчонок шастали туда-сюда, телефон звонил беспрерывно. Набежали девочки, тоже приглашенные на бал, шушукались с Джинни, хихикали и разглядывали платье. Всем оно очень понравилось. Другого мнения и быть не могло, платье действительно было роскошное. А Вероника заперлась со своими подружками у себя — из ее подруг никто на бал не собирался.

Фрида держала дверь в гостиную открытой и с удовольствием следила за перемещениями молодежи. Олимпия заказывала ей кошерную еду, Чарли принимал посыльных и помогал накрывать бабушке на стол, старательно раскладывая еду по разным подносам и блюдам — рыбу отдельно от мяса и молочного. Правда, Фрида проявила великодушие и была согласна отступить от своих строгих правил, учитывая неординарность ситуации. Она понимала, что Олимпии сейчас лишние заботы просто не по силам. Она надеялась, что Господь простит ей эти маленькие прегрешения, если только она не станет есть мясо со сливочным соусом, омаров или креветок. Олимпия очень серьезно относилась к требованиям свекрови, понимая, как важно для пожилой женщины соблюдение правил.

Вечером в четверг начался праздник Хануки. Олимпия зажгла свечи, а Фрида прочла вслух молитвы. Они обменялись подарками — так надо будет делать на протяжении всех восьми дней праздника. Олимпия была рада, что в эти дни Фрида была с ними, ее присутствие словно сплачивало семью. К тому же этот светлый и добрый религиозный праздник отвлекал всех от темы уже близкого бала.

Джинни с волнением ожидала приезда Стива, он должен был появиться в пятницу вечером. Вероника по-прежнему обнадеживала, что Джеф ее не подведет и будет выглядеть и вести себя пристойно. Его ждали только в субботу утром — в пятницу у Джефа были неотложные дала в Провиденсе, и Вероника сказала, что раньше вырваться ему никак не удастся. Олимпию это тревожило, но спорить с дочерью было бесполезно. Сейчас, когда до бала оставались считаные дни, настроение у нее было хуже некуда.

Вечером в четверг Олимпия вспомнила, что она так и не видела белые атласные туфли Вероники, хоть та и божилась, что они у нее есть. Она решила сама поискать их в шкафу. В противном случае придется срочно покупать новую пару, не то дочь выкинет какой-нибудь фортель — наденет кроссовки или лодочки красного цвета.

Она вошла в комнату дочери в тот момент, когда та, с полотенцем на голове, выходила из ванной.

Увидев обнаженную спину дочери, Олимпия ахнула: на обеих лопатках красовалась огромная татуировка — гигантская цветная бабочка размером с большую тарелку. Олимпия, сама того не желая, громко ахнула. Вероника подскочила — она не слышала, как вошла мать, и не увидела ее из-за полотенца, съехавшего на глаза.

— Господи! Это еще что такое?

Олимпия поверить не могла, что Вероника сделала такую безобразно огромную татуировку. Олимпия расплакалась.

— Мам, перестань... Ну, пожалуйста... Прости меня... Я сама хотела сказать... Я давно хотела сделать такую. Она мне так нравится! Ты привыкнешь...

Вероника была в панике. Если мама им когда-нибудь что и запрещала, то именно пирсинг и татуировку. Только уши проколоть позволила. А татуировка... — это вообще было что-то немыслимое.

— Глазам своим не верю! Как ты могла?!

Олимпия опустилась на кровать. У нее кружилась голова. Тело ее ребенка осквернено! Она представить себе не могла, как Вероника теперь будет жить с этим до конца своих дней. Это же неприлично! Надо немедленно свести рисунок, но Олимпия понимала, что дочь откажется.

— Выглядишь так, будто только что вышла из тюрьмы!

— Да у нас в колледже все в татушках! Мам, мне уже восемнадцать. Имею право делать со своим телом, что хочу!

— Ты хоть представляешь себе, как это выглядит? А когда тебе стукнет пятьдесят? Ты что, спятила? — Она запаниковала еще больше. — У Джинни тоже есть?

Вероника со смущенным видом присела рядом с матерью и обхватила ее руками.

— Мам, прости. Я не хотела тебя расстраивать. Я о такой татуировке, знаешь, сколько лет мечтала?!

Олимпия знала, что это правда. Но тогда ей казалось, что она сумела отговорить дочь. Ей и в голову не могло прийти, что Вероника ослушается и сделает себе татуировку, как только уедет из дома.

— Почему ты ее на попке не сделала? Там хоть видеть никто не будет! Неужели не понимаешь, как это смотрится?

— Мам, она мне жутко нравится... Правда...

И тут Олимпию как обухом ударило. Платье-то у Вероники с открытой спиной — вырез чуть не до талии!

— Надо срочно искать тебе другое платье!

— Ничего не надо! — возразила дочь. — Мне мое платье нравится.

Вероника впервые призналась, что ей по нраву бальный наряд, но Олимпия и думать не могла пустить ее на бал с открытой татуированной спиной на всеобщее обозрение. Она скорее умрет!

— Я не пущу тебя на Аркады с этой штукой на спине!

В этот момент в комнату вошла Джинни. Она пришла за лаком для волос, но увидела заплаканную мать и озабоченно посмотрела на сестру.

— Мама увидела мою татуировку, — призналась Вероника.

Джинни поспешила к выходу, понимая, что и ей сейчас придется отвечать на неприятные вопросы.

— Ну-ка, Джинни, останься! — остановила ее мать. — Слушайте меня внимательно! Если из вас кто-нибудь посмеет сделать себе еще одну наколку — убью, так и знайте! К Чарли это тоже относится.

— Ему это не грозит, — усмехнулась Вероника. — Разве он посмеет тебя ослушаться? Да и Джинни вряд ли.

— А ты с чего это у нас такая храбрая? — спросила Олимпия дочь убитым голосом. Она чувствовала себя, как на похоронах, хотя речь шла всего-то о татуировке.

— Я знала, что ты меня простишь, — робко улыбнулась Вероника и обняла мать за плечи.

— Напрасно ты в этом так уверена. И надо что-то делать с платьем! Я, кстати, пришла взглянуть на твои туфли.

Всего пару часов назад они с таким наслаждением праздновали Хануку — и вот, пожалуйста... Надо же так все испортить!

— Знаешь, я их найти не могу, — призналась дочь. — Наверное, отдала кому-то.

— Чудесно! — Но это было ничто в сравнении с тем, что она сделала со спиной. — Завтра же купим новые.

На следующий день Олимпия взяла отгул — как всегда по пятницам. Дел было выше крыши. Надо привезти инвалидное кресло для Фриды, съездить к ней на квартиру и забрать платье. А теперь еще и туфли дочери искать.

Однако ее мысли то и дело возвращались к злополучной татуировке.

— И как прикажешь в один день найти тебе платье?

— А я надену поверх него свитер, — нахально ответила Вероника.

Олимпия разрыдалась с новой силой. Нервы и так были напряжены до предела, так что эта бабочка явилась последней каплей. Фрида с переломом, Макс с ветрянкой, Гарри с его упрямством, собственная простуда, которая только-только начала отступать, а теперь еще и этот срам...

— Поверх вечернего платья свитер не носят! Нечего остроумничать! Нашла время шутить! Может, атласный палантин подойдет? Иначе мы пропали!

— Перестань, мам! Нашла, из-за чего расстраиваться!

— Представь себе! Могла бы хоть раз в жизни пойти матери навстречу! — Олимпия еле сдерживалась, чтобы не накричать на дочь.

— Я и так иду тебе навстречу, — напомнила Вероника. — Я же согласилась участвовать, разве нет? Ты же знаешь, я не хотела. Так что не приставай!

— Да я не пристаю. Только не думала, что ты так со мной обойдешься. Это что, месть за участие в бале, эта твоя бабочка?

— Да нет, мам, — расстроилась Вероника. — Я ее сделала в первую неделю учебного года. Это символ моей независимости и свободы, понимаешь? Моего превращения в самостоятельного человека — как бабочка из куколки.

— Великолепно! Может, мне еще порадоваться, что ты рядом с ней гусеницу не изобразила — для полноты картины?!

Олимпия шумно поднялась и, не говоря ни слова, вышла. На лестнице она так же молча прошла мимо мужа, спустилась на кухню и заварила себе чаю. Гарри видел, что жена чем-то расстроена, но подумал, что это из-за него.

Фрида заметила, что мимо ее двери прошмыгнула, понуря голову, невестка, поняла, что что-то не так, и приковыляла на костылях на кухню. Олимпия сидела за столом и роняла слезы в чашку с чаем. Она думала о платье Вероники. Что же теперь делать? Но главной причиной ее отчаяния было то, что Вероника на всю жизнь изуродовала свое прекрасное тело. И, наверное, ничего уже нельзя изменить.

— Что случилось? — спросила Фрида, увидев слезы невестки. Сразу было ясно, что случилась какая-то неприятность. Фрида уже привыкла к тому, что Олимпия, проходя мимо гостиной, всякий раз справляется, как у нее дела. — Что стряслось? — Фрида осторожно опустилась на стул напротив невестки. — Надеюсь, ничего серьезного? — сочувственно спросила она.

В душе Фрида надеялась, что дело не в Гарри. В последнее время он слишком суров. Она знала, что он всю неделю лишь добавлял жене проблем, упорствуя в своем нежелании ехать на бал. Но Фрида еще ни разу не видела Олимпию в слезах и не на шутку встревожилась. Вечер прошел так славно, и вдруг слезы...

— Хотела перед самоубийством заглянуть и попрощаться, но решила сперва чаю попить, — сквозь слезы улыбнулась Олимпия.

— Что, так плохо? Кто тебя обидел? Только скажи, я им задам!

Олимпия была тронута до глубины души, у нее будто снова появилась мама. Она наклонилась и поцеловала свекровь. Эта дурацкая татуировка Вероники добила ее. Глупо, конечно, но она ужасно расстроилась. Надо же было такое отчебучить! И самое ужасное — это теперь навсегда. Олимпия не сомневалась, что через несколько лет дочь сама будет клясть себя за эту глупость, но теперь уж ничего не поделаешь. Придется так и жить. Такую, и захочешь, не сведешь...

— Если тебя Гарри до слез довел, я его убью! — решительно пригрозила Фрида, но Олимпия покачала головой.

— Вероника, — пояснила она, хлюпая носом. Он у нее и так был красный из-за бесконечного насморка. Хорошо, хоть Джинни не разболелась — антибиотики помогли, домой она приехала почти выздоровевшая. Олимпия посмотрела на свекровь, слова застревали в горле. — Татуировку сделала.

— Что?! — опешила Фрида. Ей такое и в голову не могло прийти. В ее списке возможных неприятностей татуировка занимала бы последнюю строчку. — И на каком месте?

— Во всю спину, — всхлипнула Олимпия. — Вот такущую! — Она показала руками.

— О боже, — вздохнула Фрида, переваривая информацию. — Какая глупость! Я знаю, это сейчас в моде, но когда-нибудь сама ведь жалеть будет!

— Пока что она в восторге, — покачала головой Олимпия. — Завтра придется искать ей новое платье, в этом ведь она теперь идти не может. Надо будет найти что-то закрытое. Или палантин. Не представляю себе, как можно что-то успеть в один день! — Сил у нее не было никаких. Больше всего Олимпии сейчас хотелось накрыться с головой одеялом и чтобы никто ни под каким видом не смел к ней приближаться.

Фрида мгновение помолчала, пошевелила губами, что-то прикидывая в уме, после чего сказала:

— Купи завтра четыре ярда белого атласа. Натурального, без синтетики. Я ей сошью палантин. Хотя бы на выход прикроется. А там... — сами смотрите. Наденет она палантин-то? — забеспокоилась Фрида. — Если нет, что тогда делать будем, ведь до бала осталось всего два дня.

— Наденет как миленькая. Она теперь на все согласится, даже на стальные доспехи, — со вздохом отвечала Олимпия. — Уж не знаю, когда она собиралась мне признаться, но меня бы точно удар хватил, если б я увидела это безобразие в момент ее выхода на реверанс. — Олимпия посмотрела на свекровь и покачала головой. Они обменялись улыбками. — Дети... Цветы жизни, да? — горько усмехнулась Олимпия. — Так, кажется, ты говорила?

Фрида погладила ее по руке.

— Зато мы рядом с ними молодеем. Уж поверь мне, стоит им перестать нас удивлять, и считай, все кончено, будешь потом скучать по ним. Когда Гарри уехал в колледж, моя жизнь так изменилась!

— Но он, по крайней мере, наколок себе не делал!

— Не делал. Зато пьянствовал с дружками, а в семнадцать лет хотел пойти добровольцем в морпехи. Слава богу, из-за хронической астмы его забраковали. Если бы взяли, я бы, наверное, умерла. Отец его тогда чуть не прибил. Ну, да ладно! Завтра купишь четыре ярда атласа, и мы ей соорудим палантин. Прикроет свою бабочку. Это же проще, чем искать новое платье, я все успею, ты не волнуйся. Даже машинка не понадобится — это и на руках сделать можно.

— Фрида, я тебя обожаю! Я как увидела эту бабочку у нее через всю спину — честное слово, чуть в обморок не упала. Она как раз из душа вышла. И ведь сколько времени скрывала, паршивка!

— Могло быть и хуже. Например, череп с костями. Или имя какого-нибудь мальчика, которого она через год и не вспомнит. А кстати, как там у Джинни с ее парнем? Роман развивается? Он собирается приехать?

— Да вроде завтра вечером будет. Она говорит, там все в порядке. Веронике он, правда, не нравится, а она в парнях разбирается получше сестры. Надеюсь, что он вменяемый, нормальный парень. Джинни так волнуется. Не терпится предстать перед своим дружком в бальном платье.

— Хоть бы уж он не подвел! — вздохнула Фрида. — А насчет татуировки не волнуйся, мы ее прикроем. Никто, кроме нас, и знать не будет.

Повезло Олимпии со свекровью. Она помогает решать проблемы, а не создает их! Такая редкость! Сердце Олимпии было преисполнено благодарности и нежности к Фриде. Не у всех есть такие матери, какая у нее свекровь.

Олимпия, когда они с Гарри уже ложились спать, рассказала мужу о татуировке, и он расстроился не меньше. Уродовать свое тело — это противоречило не только его представлениям, но и его религии. Он прекрасно понимал, что сейчас чувствует Олимпия.

Не успокоилась она и наутро, когда отправилась покупать ткань для накидки. Потом заехала в обувной бутик «Маноло Бланик» и купила белые атласные туфельки, а к полудню торжественно передала отрез Фриде. Атлас идеально подошел к платью — и по цвету, и по фактуре, и по отливу.

К четырем часам, когда Олимпия с Чарли привезли для Фриды инвалидную коляску, белоснежный палантин был уже готов. Вечером Вероника примерила его с платьем и клятвенно обещала надеть на торжество. По крайней мере на один вечер проблема с татуировкой была решена. У Олимпии немного отлегло от сердца, хотя в глубине души она не могла простить дочери ее выходку.

На сегодня у них с Гарри и Фридой был запланирован тихий семейный ужин. Гарри вызвался что-нибудь приготовить. Макс все еще лежал в постели и целыми днями смотрел мультики. А трое старших опять отправились развлекаться.

Олимпия предвкушала спокойный вечер. Фрида опробовала кресло-коляску и заявила, что оно очень удобное. Теперь оно стояло в холле в сложенном виде, чтобы его можно было сразу загрузить в лимузин. Поскольку Олимпии предстояло заранее отправиться в отель к девочкам, Маргарет согласилась заехать за Фридой.

Второй день Хануки прошел мирно. Фрида зажгла свечи и произнесла традиционную молитву. Олимпия любила слушать, как она это делает, а Гарри в эти минуты вспоминал свое детство. Впрочем, ему нравилось, и когда молитвы произносила жена.

Все уже ложились спать, когда Олимпия услышала, что вернулась Джинни. В холле первого этажа, рядом с гостиной, послышался шум, потом застучали по лестнице каблучки, и дочь, рыдая, пронеслась мимо родительской спальни к себе.

— Вот так так... — Олимпия посмотрела на мужа. — Ни сна, ни отдыха... Я сейчас.

Она проскользнула в комнату Джинни. Та лежала ничком на постели и безутешно рыдала. Олимпии понадобилось приложить немало усилий, чтобы допытаться у дочери, что стряслось.

Оказалось, сегодня из Провиденса прибыл Стив, повел ее ужинать и смущенно сообщил, что встретился с Джинни, чтобы объявить о разрыве. Дескать, он с ней расстается, так как у него теперь другая девушка. И, разобравшись в своих чувствах, он понял, что ему с Джинни надо расстаться.

Джинни была безутешна. Она с ума по Стиву сходила. Олимпия не знала, что сказать дочери, она сама ничего не понимала. Зачем этому парню понадобилось приезжать в Нью-Йорк накануне торжества и объявлять Джинни такую новость? Неужели нельзя было с этим сообщением повременить? На худой конец, сказать ей по телефону? Джинни рыдала и повторяла лишь одно: «Это подло! Это подло!» Немудрено, что девочка в таком отчаянии. Олимпия никак не могла успокоить дочь.

— Девочка моя, я все понимаю... Я тебе так сочувствую... Вот мерзавец... Знаешь, может, и к лучшему, что все так получилось, зачем тебе такой ненадежный друг?

Она не стала сейчас говорить, что Джинни забудет его очень скоро, что в ее жизни еще будут другие мужчины. Это было бы некстати, Джинни вряд ли бы услышала доводы матери. Она получила смертельный удар в самое сердце.

— Я завтра никуда не поеду... — прорыдала Джинни в подушку. — Я не могу... Мне теперь все равно... Не нужен мне этот первый бал... Я хочу умереть...

— Умереть?! Из-за этого ничтожества?! Тебе обязательно надо быть на балу! Назло ему! Это особенный день в твоей жизни. Не можешь же ты допустить, чтобы этот негодяй тебе испортил праздник! Не доставляй ему этой радости. Я знаю, тебе сейчас очень тяжело, но завтра станет легче. Честное слово, уж поверь мне!

Материнское сердце обливалось кровью. Ну почему это должно было случиться сейчас? Неужели этот идиот не мог подождать воскресенья? Есть у него хоть капля совести? Судя по всему, нет.

Олимпия целый час провела с дочерью, пытаясь ее утешить. Однако Джинни продолжала твердить, что ни на какой бал не поедет.

Останется дома с Максом и Гарри. Придется Веронике ехать одной.

— Я этого не допущу! — твердо заявила Олимпия. — Я знаю, сейчас тебе не до того. И никакого настроения нет. Но завтра, под руку с Чарли, ты будешь выглядеть принцессой. Выйдешь на реверанс — все парни упадут. Джинни, тебе придется это сделать!

— Мам, я не могу, — возразила дочь, уставившись в потолок. У нее было такое лицо, как будто настал конец света. Слезы по щекам текли не переставая.

Олимпия понимала, как ей сейчас тяжело, но она знала и то, что жизнь не кончается и ее дочери еще многое предстоит испытать в жизни. Она готова была задушить этого Стива за то, что заставил страдать ее девочку. Но сейчас она могла сделать только одно — утешить дочь.

Уже пробило полночь, когда Олимпия вернулась в спальню. Джинни немного успокоилась. Слава богу, хоть плакать перестала.

Гарри уже спал. Олимпия легла, закрыла

глаза и стала беззвучно молиться. Пожалуйста, Господи, пусть завтра вечером все будут в здравом уме и ведут себя подобающе. Избавь меня от новых сюрпризов, я их больше не вынесу... Прошу Тебя, Господи, дай мне один спокойный вечер! Только один! Благодарю Тебя, Господи!

И она уснула.

Глава 8

Настала суббота — день рождественского бала дебютанток. С утра было морозно, но небо ясное, ни снега, ни ветра. День был чудесный.

Олимпия проснулась, охваченная волнением. Она молилась об одном — пережить этот день без эксцессов. Одеть дочерей, полюбоваться тем, как они выйдут на поклон и торжественно спустятся в зал по лестнице, рассадить гостей, чтобы они были довольны. Казалось бы, желания вполне скромные, но за последние несколько дней столько всего случилось, что будет чудо, если никто не сломает ногу, не сляжет с инфекцией и не закатит прилюдно какую-нибудь сцену. Ну а если уж без этого никак нельзя, то Олимпия была готова принять все удары на себя.

В двенадцать она должна везти девочек в парикмахерскую, на два — записана сама. К четырем они будут с чудесными прическами.

Олимпия приготовила завтрак, отнесла Фриде поднос, немного поговорила со свекровью, поделилась последними новостями. Девочки еще не вставали. Гарри уехал в клуб играть в сквош. Максу лучше. Чарли ночевал у приятеля. На данный момент в доме все было спокойно.

В одиннадцать часов Джинни была на ногах и, охваченная паникой, сбежала по лестнице. Обнаружив мать у Фриды, она ворвалась в комнату с криком:

— Одна перчатка пропала!

Длинные белые перчатки на балу Аркады были обязательным атрибутом.

— С чего ты взяла? Я их вчера обе видела. На твоем комоде лежат, там же, где и сумочка.

Джинни смутилась и взглянула виновато.

— Я их вчера брала к Дебби — похвалиться. А потом мы со Стивом стали ругаться. Я впопыхах одну забыла. А теперь Дебби говорит, что ночью ее собака изгрызла перчатку в клочья.

— Боже мой! — Олимпия сделала над собой усилие, чтобы не дать волю отчаянию. — И когда теперь прикажешь искать новую пару? Ладно, ладно... Съезжу прямо сейчас, до парикмахерской. Надеюсь, подберу размер точно.

Фрида восхитилась тем, как быстро невестка разрешила проблему. Через десять минут Олимпия уже выбегала из дома, в джинсах, теплой куртке и меховых сапожках. К двенадцати она вернулась домой с новой парой перчаток. Проблема была решена, катастрофа предотвращена, первый раунд выигран.

Ровно в двенадцать выехали в парикмахерскую. Проводив девочек, Олимпия тут же вернулась домой. Накормила Макса, приготовила кошерный ленч Фриде, наконец и сама съела сандвич.

Явился с тренировки Гарри. А спустя десять минут пришел и Чарли и стал подозрительно виться вокруг матери. Он явно нервничал. Олимпия не могла понять причины его взбудораженного состояния — неужели его так напрягает предстоящий вечер?! Она обняла сына и сказала ему на ухо:

— Все будет хорошо, не волнуйся!

С Гарри тему бала Олимпия больше не затрагивала. Вопрос закрыт, и нечего толочь воду в ступе.

Потом она поднялась в спальню, следом за ней двинулся и Чарли.

— Что-то не так? — спросила мать, но он лишь замотал головой в ответ. — Ты что-то хочешь мне сказать? — Юноша опять помотал головой и удалился. Олимпия попыталась отогнать поднимающуюся в ней тревогу.

Потом позвонила Маргарет. У ее матери поднялась температура, сказала Маргарет. Но на балу она обещала быть, только с небольшим опозданием — придется побыть в больнице с мамой, ужином покормить. Иными словами, заехать за Фридой у нее не получалось. Маргарет извинялась, что подвела подругу, но выхода у нее не было, мать чувствовала себя очень неважно. Олимпия успокоила подругу, но, завершив разговор, она долго смотрела на телефон, соображая, как выйти из положения. К пяти часам надо быть в отеле с девочками. Чарли должен ехать туда к четырем, так что привезти Фриду совсем некому. Тут у нее мелькнула одна мысль, и она направилась к Гарри.

Муж слушал настороженно, видимо полагая, что Олимпия все подстроила специально, чтобы вынудить его участвовать в ненавистном торжестве. Сейчас жена просила об одном — посадить мать в лимузин, туда же загрузить инвалидное кресло и позвонить на мобильный, чтобы Олимпия ее встретила. Она спустится, заберет свекровь, усадит в кресло и поднимет на лифте в зал, где будет накрыт ужин, предваряющий бал.

Со слов Олимпии все было очень просто. Она не стала говорить, что в этот самый момент ей предстоит приводить в чувство двух дрожащих от волнения девиц, одевать их, помогать позировать фотографу, успокаивать, насколько возможно, да еще и себя привести в порядок.

— Сможешь оказать мне такую услугу? — спросила она, обрисовав Гарри его задачу.

— Похоже, у меня нет выбора, не брошу же я свою мать!

Олимпия ни словом не обмолвилась насчет его возможного участия и не просила изменить свое решение. Она только хотела, чтобы Гарри отправил Фриду на машине и сообщил, когда она выедет. Ясно же, что ее просьба никак не оскорбляла убеждений Гарри. Такая малость была ему вполне по силам.

— Вот и чудесно. Спасибо! Тогда я поехала, а то уже опаздываю, — на бегу бросила она и умчалась в парикмахерскую.

Джинни уже была причесана, а Вероника еще только садилась в кресло. Вирджинии в это время будут делать маникюр. Они с сестрой поменялись местами — сначала ногти делали Веронике. Все было рассчитано по минутам — так, словно речь шла о военной операции.

В половине четвертого Олимпия позвонила домой и напомнила Чарли, что пора выезжать. Фрак, брюки, сорочка, белый галстук, жилет, носки и лакированные туфли. И еще перчатки — ему полагается быть в перчатках. Сын обещал выйти через пять минут. Сказал, у него уже все собрано.

В четверть пятого Олимпия с дочерьми приехали домой, все красиво причесанные и с безупречным маникюром. Гарри играл с сынишкой в карты. Чарли уже отбыл. А Фрида прилегла вздремнуть.

В половине пятого собрали наряды и отбыли в отель. Там сразу зарегистрировались — Олимпия забронировала номер на этот вечер.

Тут Олимпия перевела дух и позвонила Гарри. Уезжали в такой спешке, что она даже не успела с ним попрощаться. Она напомнила, на какой час заказан лимузин, и еще раз попросила дать ей знать по мобильному. Гарри покорно обещал все исполнить, он был необычайно сговорчив. Сказал, что поднимет мать в шесть и поможет ей одеться.

Машина для Фриды была вызвана на четверть восьмого. Ужин перед балом предполагался только для девушек с кавалерами и близких родных. Остальные гости ожидались в девять. Начало репетиции — в пять, в том же зале, где будет проходить бал. Без десяти пять сестры Уокер спустились в вестибюль.

Случилось так, что в тот момент, когда Олимпия с девочками направлялись к залу на репетицию, туда как раз входил кавалер Вероники, Джеф Адамс. В руке он нес вешалку с фраком.

При виде юноши Олимпия часто заморгала, думая, что ей померещилось. Оказалось, нет: волосы у парня были выкрашены в ярко-синий цвет. Не темно-синий — его еще можно было в вечернем свете принять за черный, — а именно в яркий, скорее, темно-голубой, между бирюзой и сапфиром.

Судя по выражению его лица, молодой человек был вполне доволен собой и, здороваясь с Олимпией за руку, прямо-таки источал уверенность и даже самодовольство. Вероника рассмеялась. Джинни же, убитой предательством возлюбленного, было ни до чего, она была похожа на привидение. Этот Стив даже имел наглость заявить, что, хотя они и расстаются, он готов исполнить свое обещание и участвовать в ее первом бале. И, к изумлению Олимпии, Вирджиния ответила согласием.

Голова у Олимпии шла кругом, ей хотелось накричать на дочь, немедленно отговорить ее от этого решения, но она благоразумно сдержала свои эмоции, не желая еще больше расстраивать Джинни. Не будучи официальным спутником дебютантки, Стив должен был явиться в девять, вместе с остальными гостями. И он будет весь вечер сидеть рядом с Олимпией, с Чонси и их друзьями! Ну что за молодежь пошла — ни стыда, ни совести!

Такое же желание у нее появилось и в отношении Джефа, когда Вероника похвалила его прическу и цвет волос. «Насыщенный», — удовлетворенно сказала она. Джеф нахально вручил свой фрак Олимпии и попросил присмотреть, пока он будет репетировать. «Так бы и убила!» — подумала та.

Перед началом репетиции дебютанток и

их сопровождающих выстроили в четыре ше-
ренги, девушек и юношей отдельно. Всех внимательно оглядели. Строгого вида матрона в
черных шелковых брюках и коротком жакете
от Шанель задержалась перед Джефом и вполне определенно объяснила ему ситуацию. Ему
следовало сразу после репетиции перекра-
сить волосы в другой, «человеческий», цвет
по его выбору. Если же он этого не сделает, то
Веронике на время бала предоставят другого
кавалера. Глава оргкомитета строго взглянула
на Джефа, явно выражая свое осуждение.
Джеф потупился, а Вероника захихикала.

Судя по всему, она находила его выходку
необычайно забавной, что огорчило Олимпию. Татуировка во всю спину, кавалер с синими волосами — похоже было, что Вероника
вступила в какой-то новый этап своей жизни.
Ей уже мало было громогласно деклариро-
вать свои принципы, теперь ей надо шокиро-
вать окружающих и из всего устраивать представление. Олимпия едва сдерживала себя.

После репетиции, возвращаясь в номер, она высказала свое неудовольствие дочери.

— Вероника, ничего смешного тут нет! Единственное, чего он добился, это гнева членов оргкомитета, который неизбежно падет и на тебя — рикошетом.

— Перестань, мам, не будь ханжой! Раз уж мы вынуждены участвовать в этом дурацком мероприятии, почему бы не отнестись к нему с юмором?

— Какой уж тут юмор! — возмутилась Олимпия. — Невоспитанность и неуважение к окружающим! Он думает перекраситься?

— Конечно. Неужели ты не поняла?! Это было сделано исключительно для смеха. Прикол такой, ясно?!

— Ничего смешного! — повторила Олимпия. Вид у нее был не на шутку рассерженный.

И тут опять заплакала Вирджиния. В руке у нее был мобильный — звонил Стив. Он вдруг засомневался, стоит ли вообще ему приходить. Решил, видите ли, что это для Джинни будет тяжело — совесть, видите ли, проснулась. Всхлипывая, Джинни пролепетала в ответ, что, если он не придет, ей только хуже будет. Она почти умоляла его. Олимпия смотрела на дочь с укором. В конце концов принц смилостивился и обещал приехать. Если бы можно было убить силой мысли, Олимпия испепелила бы его на месте. Но нет, он будет гостем на их торжестве — тип, посмевший разбить сердце ее девочки в такой день!

В шесть часов девушки были уже одеты в бальные платья, и Олимпия со слезами умиления оглядела их со всех сторон. Это был незабываемый момент! Сестры были похожи на принцесс из сказки! Палантин весьма деликатно прикрывал разрисованную спину Вероники.

В семь часов девушек увели фотографироваться, а Олимпия осталась в номере и стала собираться сама. Не обошлось без мелких неприятностей. Стоило надеть колготки, как тут же поехала стрелка — хорошо, что захватила запасную пару. Потом на платье заело «молнию», но Олимпии каким-то чудом удалось ее поправить.

Она остановилась и перевела дух. Прическа в порядке. Косметика тоже — она обошлась без помощи визажиста и накрасилась сама, неброско. Туфли оказались неудобными, но к этому она была уже готова. Зато вечерняя сумочка превосходная. Олимпия надела доставшиеся ей от матери жемчужное ожерелье и сережки. Придирчиво оглядела себя в зеркале и осталась довольна. Чуть подкрасила губы и накинула на плечи темно-синий палантин, купленный к платью.

В этот момент зазвонил телефон. Гарри сообщил, что только что отправил Фриду на машине. Было четверть восьмого. Еще прибавил, что с Максом все в порядке.

— Хорошо! Я спущусь встретить маму, — ответила Олимпия.

— Как там у вас? — спросил Гарри с беспокойством. По голосу он слышал, что жена на взводе.

— По-моему, я нервничаю больше девчонок. Они выглядят шикарно. Вот встречу Фриду — и сразу к ним. Наверное, Чонси с Фелицией уже приехали, — добавила она, — но я их еще не видела.

Олимпия не стала говорить Гарри, как ей его не хватает — не хотела усугублять его чувства вины. Какой смысл? Это ничего не изменит.

На мгновение она размечталась, а вдруг он в машине вместе с Фридой, но в трубке она услышала голос Макса, из чего следовало, что Гарри дома. Что ж, в семейной жизни нередки разочарования, придется смириться и забыть. Зато у ее мужа масса других достоинств. И, если не считать этого случая, он ей всегда помогал, наверняка так будет и впредь. Ну, не смог он себя преодолеть! Она должна смириться. Не портить же, в самом деле, отношения из-за того, что Гарри отказался ехать на светский бал. Так, все! Она больше об этом не думает.

Олимпия попрощалась с Гарри, вышла из номера и села в лифт. Она уже успела замерзнуть на ветру, когда наконец подкатил лимузин с Фридой.

В своем элегантном черном бархатном платье свекровь выглядела почтенной гранд-дамой. Волосы у нее были собраны в пучок-ракушку — видно было, что Фрида не пожалела времени на то, чтобы выглядеть достойно.

Привратник помог гостье сесть в коляску и вкатил в вестибюль, после чего его сменила Олимпия.

Она без труда вкатила коляску в просторный лифт, и они поднялись наверх, на пятый этаж, где должен был проходить бал. Там уже собрались для фотографирования преисполненные гордости и значительности родственники дебютанток. Мамашам вручили по букетику гардений — приколоть к платью, нести в руке или прикрепить на запястье, кому как нравится. А девушкам раздали венки из белых цветов для украшения прически и букетики, с которыми они должны будут выходить на сцену. Было нечто удивительно трогательное в этих юных девушках с белыми венками на головах и букетами в руках. Пятьдесят девушек в длинных белых, кремовых, голубых платьях, и все они казались красавицами. Олимпии на глаза навернулись слезы.

— Какие они красивые! — восторженно прошептала Фрида, и Олимпия растрогалась еще больше, понимая, что чувствует и что вспоминает сейчас ее свекровь. Фрида повернулась к невестке и сокрушенно покачала головой. — Так обидно, что Гарри не видит всего этого! Упрямец — похлеще отца! Я ему так и сказала!

— Не переживай, все в порядке. — Олимпия ласково погладила свекровь по руке.

— На твоем месте я бы закатила настоящий скандал, а ты, девочка, молодец — не стала шум поднимать. Знаешь, по-моему, он и сам уже не рад, что все так вышло, но на попятную пойти гордость не позволяет. Ты уж не держи на него зла. Он сам себя наказал.

В этот момент перед ними возник высокий светловолосый мужчина во фраке и белом галстуке. Рядом с ним стояла крупная рослая женщина. Это были Чонси и Фелиция.

Олимпия представила их Фриде. Фелиция

приветливо поздоровалась, Чонси же лишь взглянул на пожилую женщину и поздоровался только с бывшей женой. Хотя у Олимпии не было ни времени, ни сил тщательно собраться и привести себя в идеальный порядок, выглядела она восхитительно. Волнение придало ей очарования, она словно стала моложе. Чонси опытным взглядом обвел бывшую жену.

— Хорошо выглядишь, Олимпия, — многозначительно изрек он и поцеловал ее в щеку.

Олимпия кивнула в ответ и поздоровалась за руку с Фелицией. Фелиция выглядела довольно нелепо в розовом атласном платье — чересчур открытом и тесном для женщины ее возраста и комплекции.

Да, со вкусом у ее «преемницы» явно были проблемы. За те несколько лет, что Олимпия не видела супругу Чонси, она и думать об этом забыла. А теперь убедилась в этом снова. Недаром же девочки так скептически отзываются о ее нарядах. Олимпия почувствовала себя увереннее — ее облегающее темно-синее платье было намного элегантнее, сексуальнее, хотя вырез был не такой глубокий, как у Фелиции. Олимпия определенно выиграла в этом скромном противостоянии с женой Чонси. И он не мог на это не отреагировать.

Чонси обхватил Олимпию за плечи и прижал к себе — «по старой памяти». Олимпия заподозрила, что бывший муж уже принял внутрь. Да и Фелиция, судя по яркому румянцу, тоже успела приложиться. Похоже, вечер обещает новые неожиданности.

— Где наши красавицы? — спросил Чонси, оглядываясь по сторонам.

— Фотографируются с кавалерами, — пояснила Олимпия. — Скоро подойдет и наша очередь запечатлеться с ними.

Олимпия чувствовала себя руководителем группы туристов, направляющейся прямиком в ад. Почему-то все связанное с этим балом стоило ей таких усилий, откуда свалились все эти беды — несчастная любовь Джинни, приятель Вероники с его бирюзово-синими волосами, татуировка дочери... А события последней недели! Перелом у Фриды, ветрянка Макса, ее грипп, бронхит Джинни — сумасшедший дом, даже вспоминать страшно. А теперь еще и Чонси с женой — ведь рядом с ними придется все время быть начеку!

Будь с ней сейчас Гарри, все было бы куда проще. А теперь ей надо еще все время находиться при инвалидной коляске Фриды. И с чего она взяла, что бал дебютанток — восхитительный праздник, чудесное развлечение, незабываемое событие?! Незабываемое — вот это уж точно! Вряд ли Олимпия забудет всю эту нервотрепку! А как она, дура наивная, радовалась, когда раскрыла конверт с приглашениями?! Кажется, это было так давно!

Тут ей попался на глаза Джеф, вышедший из зала под руку с Вероникой. Волосы у него были уже не синие, а черные как смоль. Цвет был не совсем натуральный, сразу ясно — крашеные. Вид у Джефа был несколько экстравагантный, но глава оргкомитета великодушно закрыла на это глаза. Олимпия с облегчением вздохнула — пронесло! Хоть эта проблема разрешилась благополучно.

Джеф поймал на себе взгляд Олимпии и пренебрежительно ухмыльнулся. И снова в Олимпии поднялась волна раздражения. Не парень, а само нахальство, хоть, надо признать, весьма смазливый! Видно по всему, он из тех молодых, что мнят себя умнее всех и, уж конечно, во сто раз умнее чьих-то там «предков».

Олимпия не могла отделаться от мысли, что Вероника пригласила его специально, чтобы позлить ее. С тех пор, как мать и отец буквально заставили ее идти на этот бал, Вероника будто задалась целью делать все назло. Да, она уступила им, но никто и ничто не заставит ее воспринимать этот бал всерьез, а тем более еще и делать вид, что она счастлива, что она в восторге от этого представления!

Девочки подошли и расцеловались с отцом и мачехой. У Джинни все еще был расстроенный вид. Фелиция похвалила наряды и прически, а Фрида расцеловала внучек со слезами на глазах.

Когда с семейными съемками было покончено, девушки с кавалерами и родней наконец отправились в банкетный зал, где был накрыт ужин.

Олимпия сидела между Вероникой и Фридой. Рядом с Джинни заняли места Чонси и Фелиция. Все шло гладко до той поры, пока в середине ужина Чонси не поднялся из-за стола, чтобы выйти.

Вероника сидела за столом, скинув палантин на спинку кресла. Иначе она просто не могла приступить к ужину — атлас скользил по плечам и сползал на кресло. И она, и мать совсем забыли, по какой причине на ней этот палантин. И вот сейчас Чонси, как громом пораженный, остановился за ее спиной. Потом перевел изумленный взгляд на Олимпию:

— Это что такое? Вы что, ошалели?!

Олимпия не понимала, что на него нашло, единственное объяснение — Чонси перебрал за столом. Фелиция, казалось, была удивлена не меньше, но тут Олимпия увидела, что Чонси пристально смотрит на татуировку на спине у дочери.

— Вы обе спятили, что ли? Как ты могла допустить? — Он испепелял Олимпию взглядом.

— Видишь ли, Чонси... Ты должен понять, девочка выросла, выскользнула из клетки и вырвалась на свободу. Я же не могу всю жизнь следовать за ней по пятам...

— Ничего более мерзкого в жизни не видел! Чтобы немедленно удалила, иначе учебы ей не видать — я больше платить не буду!

Похоже, плата за обучение детей в колледже стала для Чонси наилучшим инструментом шантажа и давления на бывшую жену. В последнее время он стал часто повторять свою угрозу.

— Не думаю, что сейчас уместно это обсуждать, — попробовала успокоить его Олимпия.

За их столом все напряглись и ждали развития событий, не очень понимая, в чем дело, ведь татуировку заметил только Чонси. Вероника, покрасневшая и возбужденная, повернулась к отцу:

— Прекрати шантажировать маму! Мне восемнадцать лет, я сама захотела это сделать. Мама ничего не знала.

— Вероника, это ни в какие ворота не лезет! — грохотал отец, так что все в зале стали оборачиваться. — Если ты готова себя так изуродовать, то тебе место не здесь, а в тюрьме, среди всех этих татуированных мерзавцев!

Олимпия испугалась, что Вероника сейчас пошлет отца куда подальше и разразится нешуточный скандал у всех на глазах. Все внимание и так уже было приковано к их столу. Чонси и всегда-то не был человеком деликатным, а после выпитого он и вовсе не собирался сдерживать себя. Он был так взбешен, что даже Фелиция пришла в изумление.

— Папа, я не буду с тобой это обсуждать! Это же глупо — так реагировать! — Вероника поднялась и теперь смотрела отцу в лицо. — Это всего лишь татуировка, это не преступление! Лучше выпей еще стаканчик, уверена, тебе станет легче, — ледяным тоном закончила она и вышла из-за стола. Видя, что она уходит, поднялся и Джеф.

Все повернулись вслед девушке и ахнули, увидев во всей красе ее разрисованную спину, так возмутившую Чонси. Фелиция так и обомлела и немедленно объявила во всеуслышание, что ее дочерям такое и в голову бы не пришло. Возможно, в этом она и была права — ведь ее старшей дочери исполнилось лишь тринадцать. Но кто знает, что девочка выкинет через пять лет?!

Олимпия усмехнулась: кто-кто, а она-то знала, что все проблемы у Фелиции еще впереди, причем ближайшие пять лет — самые трудные. Тут уж старайся не старайся, а держать детей в узде больше, чем они позволят, никак не удастся. Олимпии прихоть дочери тоже была не по душе, но она с удивлением отметила про себя, что Вероника с честью вышла из ситуации и повела себя намного достойнее, чем ее отец.

Чарли переглянулся с матерью, он явно пытался успокоить ее хотя бы взглядом, призывая прекратить спор. И Олимпия продолжила ужин. Все за столом последовали ее примеру, старательно делая вид, что ничего страшного не произошло.

После ужина к Олимпии подошла одна из мамаш и сочувственно сказала:

— Прекрасно понимаю, что вы сейчас переживаете. Моя девятнадцатилетняя красавица явилась на каникулы из Санта-Круса с разрисованными руками — от запястий до плеч, представляете? Ничего более ужасного в жизни не видела! А что сделаешь? Даже думать не хочется, как будут выглядеть ее руки, когда кожа начнет обвисать. Ну, да что уж теперь... От них и не такого ожидать можно. Бывает намного хуже.

Что может быть хуже, Олимпия в этот момент представляла с трудом, но была согласна, что дети способны на всевозможные фокусы. Сейчас же она была признательна этой незнакомой женщине за сочувствие и понимание.

— Я все еще в шоке. Сама увидела этот кошмар два дня назад. Свекровь успела сшить ей палантин — спину прикрыть. Боюсь, члены оргкомитета этого художества бы не одобрили.

— Да будет вам! Наверняка она не первая девушка, кто является на бал с татуировкой. У моей старшей дочери, например, дружок ее явился с кольцом в носу.

— А один из наших кавалеров на репетицию заявился с синими волосами, — поделилась Олимпия. Обе посмеялись над выходками молодежи — это, по крайней мере, в случае с Олимпией была лишь нервная разрядка.

— Теперь все совсем не так, как в наше время. Помнится, когда я впервые надела платье без бретелек, мою бабушку чуть удар не хватил. Если не ошибаюсь, в их время вообще полагалось иметь хоть маленький, но рукавчик — руки прикрыть. Сегодня все по-другому — меняются времена, меняются и понятия о приличиях.

— Вы правы, — согласилась Олимпия со своей собеседницей.

Но Чонси успокоить было совсем непросто. Он продолжал уничтожать бывшую жену взглядами.

— В жизни такого безобразия не видел! —

ворчал он, на этот раз потише. Фелиция согласно кивала, поддерживая мужа.

— Я тоже этого не одобряю, — негромко сказала Олимпия. — Вероника сделала это в колледже. Я сама только на днях увидела. Конечно же, я тоже высказала ей все, что об этом думаю. Но я сделала это, во всяком случае, не при посторонних. Пойми, Чонси, она уже не маленькая послушная кроха!

— Ты с ней слишком либеральничаешь! В этом все дело! Да и с остальными тоже. Она скоро угодит за решетку — как коммунистка. — Чонси подозвал официанта и заказал еще выпивку.

— Чонси, коммунистов в тюрьму не сажают. Она, конечно, либеральных воззрений, но не сумасшедшая. Просто хочет показать, что у нее своя голова на плечах.

— Это не способ! — неодобрительно буркнул Чонси.

— Конечно, не способ! Но, по крайней мере, это вполне безобидная выходка. Некрасивая, но безобидная... — Понимая, что ей не переубедить бывшего мужа, Олимпия не стала искать новых доводов в защиту дочери.

— Ага! Изуродовала себя на всю жизнь!

Чонси напустил на себя оскорбленный вид. Он во всем винил Олимпию, считал, что она не должна была такого допустить. Он не желал знать, что сама Олимпия была поставлена перед фактом. Но у Чонси всегда и во всем была виновата Олимпия.

— Ничего не изуродовала! — заступилась Олимпия за дочь. — Такая же красавица, как и раньше. Ну, глупость сделала. Надоест ей эта наколка — а наверняка так и будет, — возьмет да и сведет.

— Надо ее заставить! — После очередной порции виски Чонси, казалось, немного успокоился.

— Нет, Чонси, заставлять ее не надо — она тут же сделает новую. Вот пройдет время...

Тот покачал головой и что-то пробурчал жене. Потом, будто только что ее заметил, повернулся к Фриде.

— А у вашего сына есть наколки? — вызывающим тоном произнес он.

Должен же кто-то был ответить за выходку его дочери! В данном случае — Олимпия и, конечно, Гарри. Но Фрида лишь улыбнулась. Этого хлыща она насквозь видит, у него все на лице написано. Фрида таких повидала за свою жизнь немало.

— Представьте себе, нет. У евреев не приняты татуировки. Это противоречит нашей вере.

— А-а... — не нашелся, что ответить, Чонси. Потом шепнул что-то Фелиции, и оба встали. Ужин закончился, пора было подниматься в зал.

При входе девушки выстроились в ряд, приветствуя гостей, а кавалеры ожидали в сторонке. Часы показывали без десяти минут девять.

Глава 9

После ухода девушек Олимпия усадила Фриду в коляску и повезла к лифту. Она успела заметить, что Вероника опять накинула на спину палантин, и в который раз мысленно благодарила свекровь, что та нашла выход из положения. По крайней мере больше никто не будет созерцать эту чертову бабочку. Хватит и тех, кто уже видел — скандал вышел нешуточный.

— Прости, Фрида, эту безобразную сцену, — проговорила сокрушенно Олимпия и вкатила коляску в лифт.

— Ты не виновата. Чонси Уокер все-таки поразительный человек! Всякий раз удивляюсь, когда таких вижу. Живет, как в скорлупе, и не видит, что мир вокруг изменился.

— Это точно, — подтвердила Олимпия, в который раз спрашивая себя, как она могла так ошибаться на его счет в молодости.

Они вошли в зал, приветствуемые дебютантками. Ряд девушек в светлых платьях казался бесконечно длинным, и Фрида с лучезарной улыбкой оглядывала нарядных и взволнованных дебютанток. Они с Олимпией старательно пожали все пятьдесят рук в белых перчатках. Девушки были очаровательны, но, по мнению Олимпии, ее двойняшки затмили всех. В своих платьях — совершенно разных, но очень элегантных — они были неотразимы.

Они наконец отыскали свой столик. С лица Фриды не сходила горделивая улыбка. Олимпия усадила ее в кресло и сама устроилась рядом. Приятель Джинни, Стив, уже был за столом. При виде дам он вежливо приподнялся и представился. Было видно, что он смущен. Олимпия держалась холодно, она не могла перебороть своей обиды за дочь.

Вскоре пришла еще одна пара — друзья

Олимпии и Гарри, она познакомила их с Фридой, а следом появились и Маргарет Вашингтон с мужем. Она оставила свою мать в больнице с сиделкой.

На Маргарет было ослепительное платье из коричневого гипюра, почти одного тона с ее кожей. Компания подобралась приятная, все только и говорили о том, как замечательно смотрелись юные дебютантки в своих нарядах.

Минут через пять появились и Чонси с Фелицией. Олимпия сразу заметила, что количество выпитого начало сказываться на поведении бывшего мужа. И, к величайшему ее негодованию, Чонси изумленно уставился на Маргарет и ее мужа, как если бы впервые в жизни видел афроамериканцев. Он не сказал ни слова, сердито зыркнул на Олимпию и сел. Можно было представить, что творилось в его душе — мало того, что Олимпия притащила на бал старую еврейку, так еще пригласила и афроамериканскую пару! Чонси просто распирало возмущенис. К тому же татуировка дочери никак не выходила у него из головы.

Олимпия взглянула на него и усмехнулась. Маргарет встретилась с ней взглядом и понимающе кивнула. Фрида, будто не замечая ничего вокруг, безмятежно улыбалась. Ей нравилось смотреть на людей, разглядывать украшения и вечерние наряды, любоваться прекрасными юными созданиями. Сам зал казался ей сценой из сказки. Счастливый вид свекрови компенсировал Олимпии все неприятности. И что бы ни думал сейчас Чонси, она знала, что поступила правильно: Фрида в полной мере заслужила право присутствовать на этом торжестве!

Времена Чонси и ему подобных, их системы ценностей, обособленного существования их круга избранных давно миновали. И то, как поступила Олимпия, в конечном итоге оказалось более правильным, чем решение Гарри бойкотировать бал. Оставшись дома, он фактически сделал то, чего и добивались люди, подобные Чонси. Зато Олимпия впустила в этот зал реальный изменившийся мир — пожилую еврейскую женщину, пере-

живщую Холокост, и блистательного темно-
кожего адвоката, выросшего в Гарлеме. И это
была позиция более действенная и достой-
ная, чем позиция неучастия Гарри. Олимпия
могла быть довольна собой.

Олимпия отвлеклась от своих мыслей, за-
метив, что к ней через весь зал направляется
Чарли. Сердце ее тревожно забилось.

Все гости уже сидели за своими столами, а
виновницы торжества удалились за кулисы и
готовились к выходу, поправляя прически,
макияж, туалеты.

Заиграл оркестр, родители и друзья дебютанток приглашались к танцам. До начала
выхода дебютанток оставались считаные
минуты.

Чарли решительным шагом приблизился
к матери и, к ее удивлению, пригласил на танец. Олимпия улыбнулась, тронутая до глубины души. Сын сделал это потому, что с ней не
было Гарри. Он знал, насколько тяготит маму
общество его отца — сначала накинулся на

нее из-за татуировки, потом стал грубить ее гостям. Чарли с удивлением отметил, что отец и Фелиция почему-то не пригласили никого из своих друзей.

Чарли вывел Олимпию на середину зала, где уже танцевали несколько пар, и повел ее в фокстроте.

— Ты знаешь, как я тобой горжусь? — Она со счастливой улыбкой смотрела на своего первенца.

Фрида издалека любовалась парой. Олимпия красивая женщина, и сын у нее — красивый и добрый мальчик. Чарли было восемь лет, когда Олимпия с Гарри поженились, и он рос у Фриды на глазах. Мужал, превращался из мальчика в мужчину. Она, как и его мать, очень им гордилась.

— Мам, я тебя очень люблю, — тихо произнес Чарли, наклонившись к ней.

— Я тебя тоже, мой мальчик. Больше, чем ты себе можешь представить! Какие у нас сегодня девочки красивые, правда?

Чарли кивнул, и они продолжили танец. Олимпия уже не помнила, когда в последний раз танцевала с сыном. Сейчас она была поражена тем, насколько он стал внешне похож на своего отца. Но человеком он, к счастью, был совсем другим — и добрым, и порядочным.

— Сегодня здесь столько красавиц! Самое время искать девушку своей мечты, — поддразнила Олимпия сына.

На самом деле она так не считала. Вряд ли кто-нибудь из этих избалованных красавиц смог бы составить счастье ее сына. С этими людьми интересно провести один вечер — для разнообразия, но в каком-то смысле они — реликвия, пережиток прошлого, как ее бывший муж. А для Чарли она желала другую избранницу — умную, современную и добрую.

Чарли улыбнулся:

— Мам, я понимаю, это не лучшее место для подобных признаний, да и время, наверное, неудачное... Но я давно хотел тебе кое-что сказать.

— Если скажешь, что у тебя на груди татуировка в виде черепа с костями, я тебя выпорю!

Он рассмеялся и покачал головой, потом улыбка исчезла с его лица, и он сказал серьезно:

— Нет, мам. Дело в том, что я голубой.

Чарли, не глядя на мать, продолжал танец. Олимпия внимательно посмотрела на сына. Чарли почувствовал, как дрогнула рука матери, и напрягся.

Вот какой груз давил на сына, вот откуда его печаль и ее страхи. Ну что ж, теперь она знает...

Олимпия долго молчала, потом притянула сына к себе и поцеловала.

— Я тебя люблю, мой мальчик! Спасибо, что ты мне сказал. Спасибо, что доверяешь мне.

Чарли был потрясен реакцией матери — ее мужеством и выдержкой. Потрясен и благодарен. Его мама — удивительная женщина!

— Знаешь, а ведь я даже не удивлена! Нет, удивлена, конечно, но я еще тогда почувствовала... Это связано с тем юношей, который повесился? Ты его любил?

Наверное, в глубине души она давно задавала себе этот вопрос. Она не знала наверное, она давно видела, что Чарли не такой, как все, только не отдавала себе отчета, в чем его непохожесть на других подростков.

— Нет. — Чарли покачал головой. — С тем парнем мы просто дружили. Он поехал на выходные домой и признался родителям, что голубой, а отец в ответ сказал, что видеть его больше не желает. Он вернулся в университет и покончил с собой.

— О господи! Как же отец мог так поступить?

Олимпия подумала о Чонси. Чарли тоже нелегко будет признаться отцу, оба это понимали. А реакцию его и представить страшно.

— А знаешь, я боялся, что меня тоже ждет нечто подобное. На тебя я надеялся, но все же переживал ужасно — кто знает? А отец уж точно не поймет.

— Ты прав, он вряд ли сможет переварить эту новость. Может, я тебе помогу? Только сегодня, по-моему, не стоит с ним откровенничать, — осторожно сказала она. Чарли понимающе кивнул. Отец, как всегда, успел набраться.

— Я сегодня и не собирался. Вот вам с Гарри я уже давно хотел сказать. Как, по-твоему, Гарри к этому отнесется? — обеспокоенно спросил Чарли.

Для него была важна реакция отчима. Чарли глубоко уважал его и считался с мнением Гарри. Конечно, жаль, что его сегодня нет с ними. Но этот факт все уже приняли, даже мама.

— Думаю, он поймет. Во всяком случае, мы вместе постараемся тебя понять.

— Мам, спасибо тебе, — сказал Чарли, глядя ей в глаза. Давно уже Олимпия не видела сына таким счастливым.

Танец подошел к концу.

— Ты самая лучшая мама на свете! Можно мне теперь признаться, что у меня на спине татуировка? — спросил он с мальчишеским озорством.

Но они оба знали, что сегодняшнее признание Чарли было серьезным поступком. Он набрался храбрости и шагнул из отрочества во взрослую жизнь. И благодаря матери приземлился на обе ноги на твердую почву. Она дала ему силу не погрузиться в болото, она словно удержала его на поверхности. Она любит его таким, какой он есть, она не откажется от него и по-прежнему у него будет и семья, и родной дом. Невзирая ни на что, он всегда может рассчитывать на ее любовь и уважение.

— Только посмей, Чарли Уокер! За картинку я уж точно задушу тебя на месте!

— Мам, не волнуйся, этого не будет.

Чарли поцеловал Олимпию в щеку и отвел за стол. Там, рядом с креслом Олимпии, во фраке и белом галстуке стоял Гарри и наблюдал за женой. И вид у него был такой, будто он ни на минуту не покидал Олимпию, а просто ожидал окончания танца. Фрида счастливо улыбалась сыну. Сегодняшний бал оказался знаменательным событием не только для девочек, но и для ее мужчин.

— Ты здесь откуда? — негромко спросила Олимпия, отпустив сына.

Она была потрясена до глубины души и благодарна Гарри за то, что он все-таки приехал, переступив через свои принципы и убеждения. Этого подарка она не забудет до конца дней. Преданность мужа, доверие сына — сегодняшний вечер, как она и думала, таил в себе немало неожиданностей.

— Решил вот последовать твоему и маминому совету и переступить через себя. По-моему, сегодня для этого подходящий случай.

Это был вечер откровений и признаний. Олимпия и для себя открыла много нового. Она поняла, что любит Гарри независимо от его позиции и со всем его упрямством и наивностью.

— Потанцевать успеем? — проникновенно спросил он, и она кивнула. Начинался последний танец перед выходом девушек. Гарри рассчитал время своего появления просто идеально.

— Гарри, я тебя люблю! — проговорила

Олимпия, медленно кружась в вальсе. — Как хорошо, что мы вместе!

— Я тебя тоже! Прости, что так измучил тебя с этим балом. Надо было давно себя перебороть. — Тут он рассмеялся. — Когда я сегодня провожал маму, она сказала, что ей за меня стыдно. Обозвала упрямцем и отсталым типом. И даже Макс сказал, что я делаю глупость, что отказываюсь ехать. Я и сам понимал, что это так. Ведь у меня здесь только один дорогой человек — это ты. И дети, конечно. Мне захотелось быть рядом с тобой. Прости, что отпустил тебя одну. А кстати, как прошел ужин?

— Ужин? Занятно. Чонси устроил Веронике скандал из-за татуировки. Я его, вообще-то, понимаю, но он, как обычно, переборщил.

— Она его не послала куда подальше? — поинтересовался Гарри.

Он, конечно, пропустил эту сцену за ужином, но зато успел на самую интересную часть — ту, что больше всего значила для Олимпии, — первый в жизни выход в свет ее девочек.

— Удивительно, но не послала, — отвечала жена. — Она себя держала вполне достойно. А вот ему протрезветь не мешало бы. Чонси по-прежнему злоупотребляет спиртным.

Как много ей надо сегодня рассказать Гарри! В первую очередь — о признании сына. Оно сейчас занимало ее больше всего остального. Но здесь, на балу, говорить об этом не хотелось. Олимпия еще сама не пришла в себя после признания Чарли, хотя и постаралась не показать своего потрясения. Вид у Чарли был такой, будто с его плеч сняли тяжеленный груз. А ей еще предстоит это переварить. Но каким бы ни был ее сын, чего бы ни хотел он от жизни, чтобы стать счастливым, она примет его и не оставит в одиночестве. И Гарри, она надеется, тоже.

Вот Чонси — другое дело. Тут понадобится время, чтобы он свыкся с этой мыслью. Это еще в лучшем случае...

Олимпия продолжала рассказывать мужу о том, что он пропустил:

— Когда приехали Вашингтоны, я думала, Чонси хватит удар.

Гарри рассмеялся в ответ:

— Ну, ты умеешь продемонстрировать свое отношение, что и говорить! В отличие от меня. Все каноны нарушила, усадила за один стол с самым большим ньюпортским снобом и чернокожих, и евреев, и девицу с татуировкой на спине. Единственный способ вернуть этих людей с небес на землю! А как моя мамуля себя ведет?

— По-моему, она абсолютно счастлива. Да ты сам посмотри на Фриду. — Олимпия улыбнулась мужу. — Гарри, спасибо, что пришел. Это замечательно, что ты здесь!

— Я тоже рад. Скоро начнется-то?

Вальс завершился барабанной дробью, послужившей ответом на его вопрос. Распорядитель попросил всех занять свои места.

Гарри проследовал за женой к столу и сел между ней и матерью. Свет в зале притушили, поднялся занавес, и прожектор осветил арку из цветов.

На сцену вышли выпускники Уэст-Пойнтской военной академии, выстроились в два ряда и скрестили шпаги над проходом. Девушкам предстояло прошествовать под ними. Точь-в-точь так же двадцать семь лет тому назад шла Олимпия и ее подруги.

Фрида широко открытыми глазами смотрела на начинающееся представление.

Вышла первая девушка. Участницы выходили, следуя алфавитному порядку фамилий, и близнецам выпало замыкать шествие — по первой букве их фамилии Уокер. До Вероники и Вирджинии должны были выйти сорок восемь девушек.

Дебютантки выходили поочередно, одни — заметно волнуясь, другие — уверенно, кто с улыбкой, кто с серьезным выражением лица. Они были как ангелы в своих белых венках. У одних платья были восхитительные, у других — довольно строгие, в пол. Здесь были толстушки и худышки, красавицы и простушки, но каждая выглядела как принцесса, когда под руку с кавалером появлялась под аркой с букетом в руках.

Ведущий объявлял имя девушки и ее сопровождающего. Они замирали на сцене, все аплодировали, братья и сестры, родственники свистели и выкрикивали приветственные возгласы, после чего девушки приседали в реверансе, степенно спускались со сцены и через строй юношей из академии проходили в зал.

Что-то во всей этой церемонии было завораживающее. Подобное происходило уже не одну сотню лет, и казалось невероятным, что эта традиция в неизменном виде сохранилась до наших дней. Только в отличие от своих бабушек и прабабушек девушки уже не искали себе женихов на этих балах. Сегодня их представляли обществу, они были окружены вниманием родных и друзей, и этот волшебный вечер должен был запомниться им навсегда.

Впереди их ждет взрослая жизнь. У одних все будет получаться без особых усилий и трудов, другим придется упорно работать. Но сегодня, в этот особенный день, все было подчинено одному — показать, что их любят, гордятся ими и желают только добра. Девушки выходили одна за другой, и каждую встречали дружные аплодисменты.

И вот настал момент, когда Олимпия и все за ее столом захлопали Веронике, а затем и Вирджинии. От былого упрямства бунтарки не осталось и следа. Она была преисполнена уверенности в себе и гордости, на губах играла соблазнительная улыбка, а плечи были элегантно прикрыты палантином. Вероника размеренным шагом спустилась по ступеням, прошла под скрещенными саблями и прошествовала через весь зал к тому месту, где стояли остальные девушки.

Затем появились Вирджиния и Чарли. Олимпия в который раз залюбовалась сыном — Чарли у нее просто красавец! Вирджиния со смущенной улыбкой изобразила реверанс, а Чарли нежно пожал ей руку и повел в зал.

Потом дебютантки со своими спутниками совершили круг почета по залу, выстроились в одну линию, снова присели в реверансе. Далее следовал первый танец с отцами.

Чонси на удивление легко поднялся и твердым шагом направился к Вирджинии. Олимпия пошепталась с Гарри. Тот помедлил несколько секунд, потом встал и пошел танцевать с Вероникой. Чонси было покосился на него, но потом кивнул. Словно сговорившись, два отца протанцевали полтанца, после чего обменялись партнершами.

Это был самый незабываемый момент — и для Олимпии, и для Фриды, и для Гарри, а больше всего, конечно, для главных участниц торжества. Олимпия была счастлива в эту минуту — мужчина, который начисто отрицал все, что олицетворял собой этот бал, танцевал с ее дочерьми в их торжественный день. А когда танец закончился, ее не меньше удивил бывший муж — он дружески пожал Гарри руку. Произошло важное событие не только для дочерей, но и для взрослых — две семьи наконец признали свое родство.

После этого Чонси вернулся к их столу и пригласил на танец Олимпию.

— Никак не могу отойти от шока после этой татуировки, — признался он и впервые за весь вечер улыбнулся. На какой-то миг ей вспомнился тот парень, которого она когда-то любила. Это были их общие дети, и сегодня у них общий праздник, о котором они еще долго будут вспоминать. Олимпия засмеялась.

— Я тоже. Я, как увидела, чуть в обморок не упала. Думаю, наши дети еще долго будут нас удивлять, причем не всегда это будут приятные сюрпризы. Все равно мы с тобой счастливые родители, Чонси. Дети у нас замечательные!

— Да, — согласился он, не раздумывая, — замечательные.

Олимпия оглянулась — Вероника танцевала с братом, Вирджиния — в объятиях Стива, не далее как вчера разбившего ей сердце. Он что-то ей говорил, она смеялась, и у Олимпии невольно мелькнула мысль, уж не изменил ли своего решения этот ловелас, ослепленный красотой девушки в этот чудесный вечер.

Она на это очень надеялась. Ее девочки должны быть сегодня счастливы. Им предстоит всю ночь веселиться в кругу друзей, и домой они вернутся только утром.

Обе дочери по окончании танца подошли к матери и сказали, что очень ее любят и счастливы участвовать в этом дивном празднике. Особенно благодарила Вероника, и все трое прослезились. Олимпия поняла, что ее старания были не напрасны.

После отъезда Чонси с женой и других гостей Олимпия с Гарри танцевали еще. Фрида сидела в своем инвалидном кресле и наслаждалась музыкой, глядя на танцующие пары. В двенадцать еще раз все, кто остался, подошли к столам с закусками, после чего продолжили веселье чуть ли не до трех часов ночи.

Фрида заявила, что, если бы не перелом и гипс, она и сама танцевала бы до утра. По ее словам, это был самый чудесный вечер в ее жизни. Гарри обнял и мать, и жену — он был доволен, что его мать радуется жизни, невзирая на свое состояние. И какая же молодец его жена, которая подарила матери этот праздник!

Чарли поехал развлекаться с сестрами, а перед уходом подошел попрощаться со старшими. Молодежь отправлялась в какой-то ночной клуб — никому не хотелось расставаться в эту волшебную ночь.

Прощаясь, Чарли шепнул матери:

— Мам, спасибо тебе еще раз. Я тебя люблю.

— Я тебя тоже, мой дорогой.

Она улыбнулась сыну. В этот вечер они стали еще ближе друг другу.

Подошли еще раз и девочки. Даже Вероника честно призналась, что получила огромное удовольствие. То же сказал и Гарри, когда они отправились домой.

— Олли, я замечательно провел время! — проговорил он, с нежностью глядя на жену.

Для каждого сегодняшний вечер стал выходом в свет, хотя и на свой лад. А больше всех, наверное, для Гарри. Он неожиданно для себя обнаружил, что в разнообразии жизни нет ничего предосудительного, а узкий подход к традициям — не всегда самый правильный.

Садясь в лимузин, Фрида вся светилась от удовольствия. Вот и в ее жизни случился сказочный бал. А Олимпия была ее доброй феей! Гарри же, вопреки его желанию, превратился в прекрасного принца.

Вернувшись домой, они расположились на кухне. Фрида не стала снимать свое выходное платье, а Гарри лишь ослабил галстук. Они сели за стол и принялись перебирать все события прошедшего вечера.

— Где это Фелиция такое платье отыскала? Хоть бы чуточку прикрыла свои прелести, — со смехом произнес Гарри.

— Но для Чонси она — идеальная жена, не то что я была. — Олимпия говорила абсолютно искренне. — А знаешь, мне кажется, Вероника, сама того не ведая, своей дурацкой татуировкой растопила лед отчуждения. Тоже мне, мадам Баттерфляй! Может, и мне тоже сделать?

— Только попробуй! — прорычал Гарри. После бала он был в игривом настроении.

Олимпия помогла Фриде раздеться. Уже лежа в постели, Фрида подняла на невестку сияющие глаза.

— Олимпия, деточка, спасибо тебе. В жизни ничего подобного не видела! Я так счастлива!

— Я тоже, — призналась Олимпия. — Я так рада, что и ты, и Гарри там были!

— Он у меня хороший мальчик! — горделиво произнесла Фрида. — Я рада, что он принял верное решение.

— Его решения всегда самые верные, — согласилась Олимпия, поцеловала свекровь, погасила свет и вышла.

Гарри ждал ее на кухне. Рука в руке, они поднялись к себе, стараясь не шуметь, чтобы не разбудить Макса. Срываясь на бал, Гарри вызвал няню — теперь ее отпустили. Приехав, они застали ее спящей в комнате Чарли, ведь было уже три часа ночи. А спать они легли только в четыре.

Гарри приблизился к Олимпии и стал расстегивать застежку на ее платье. Но Олимпия остановила его, взяв за руки. Она должна была все ему рассказать.

— Сегодня Чарли признался мне кое в чем.

— Неужели тоже татуировку сделал? — усмехнулся Гарри, но Олимпия отрицательно покачала головой.

— Нет, все гораздо серьезнее...

— Что ты имеешь в виду? — спросил Гарри, недоумевая, и вдруг все понял.

Он подозревал нечто подобное, хотя и не хотел себе в этом признаваться. Несколько раз у него возникали серьезные подозрения, но он не стал ничего говорить Олимпии, чтобы не тревожить ее без веских оснований. Он не знал, как она к этому отнесется. Но теперь он это узнал. Олимпия не оттолкнула сына, не лишила его своей любви.

— Он мне честно признался, — сказала она мужу. — Когда мы с ним танцевали, как раз перед тем, как ты появился.

— А я-то еще подумал, что он тебе такое нашептывает? У него лицо было такое смятенное. Вы, кстати, прекрасно смотрелись вместе. — Он подошел к жене и заключил ее в объятия. — И как нам на это реагировать?

Сам Гарри был встревожен. Сын признался в том, что он не такой, как все, и это теперь неизбежно отразится на всей его жизни и жизни его родных. До конца его дней.

— Могу сказать только за себя. Я хочу, чтобы мой сын был счастлив. Когда он мне открылся, он как будто даже успокоился.

— Ну, что ж, я рад. За вас обоих. Поживем — увидим, как все дальше сложится. — Он сел на кровать и посмотрел на жену. — Знаешь, Олли, я готов с тобой согласиться: первый бал — это запоминается. В каком-то смысле действительно похоже на бат-мицву. Праздник, когда радуются не только сами девочки, но и их друзья, и близкие — все, кто разделил с ними эти мгновения. И мама порадовалась, она никогда ничего подобного не видела. И танцевать с тобой и с девочками мне понравилось. И знаешь, хоть это и глупо звучит, но, когда Чонси пожал мне руку, я даже прослезился.

Сегодня слезы наворачивались ему на глаза не раз. То же самое происходило и с Олимпией. Они пережили вечер любви и радости, вечер надежд и воспоминаний, вечер, когда их дочери вступали во взрослую жизнь, а незнакомые люди делались друзьями. Все произошло так, как говорила Олимпия. Это был обряд посвящения во взрослые, традиция, которая продолжала жить.

И Гарри сегодня тоже совершил переход из старого мира в новый — новый для себя. А кто-то, возможно, снова заглянул в свое прошлое. И когда прошлое и будущее слились в одно сияющее мгновение, время словно остановилось — все печали отступили и были забыты. А назавтра начиналась новая жизнь.

Литературно-художественное издание

Даниэла Стил

ЧТО БЫЛО, ЧТО БУДЕТ...

Редактор *Н. Крылова*
Художественный редактор *М. Суворова*
Технический редактор *О. Куликова*
Компьютерная верстка *А. Пучкова*
Корректор *Н. Овсяникова*

ООО «Издательство «Эксмо»
127299, Москва, ул. Клары Цеткин, д. 18/5. Тел. 411-68-86, 956-39-21.
Home page: www.eksmo.ru E-mail: info@eksmo.ru

Подписано в печать 26.01.2007.
Формат 84×108 $^1/_{32}$. Гарнитура «NewBaskervilleCTT». Печать офсетная.
Бумага тип. Усл. печ. л. 16,8.
Тираж 25 100 экз. (15 100 экз.+10 000 экз. Н.Оф.) Заказ № 6143.

Отпечатано в полном соответствии
с качеством предоставленных диапозитивов
в ОАО «Можайский полиграфический комбинат».
143200, г. Можайск, ул. Мира, 93.

РУССКАЯ СЕМЕЙНАЯ САГА

ЕЛЕНА АРСЕНЬЕВА

Серия роскошных, ярких и захватывающих романов,
объединенных, как истинная сага, историями жизни
нескольких старинных русских семей, гордости и цвета
нации, – от начала XX века и до наших дней.

Сага состоит из пяти книг:
«Последнее лето», «Осень на краю», «Зима в раю»,
«Несбывшаяся весна», «Год длиною в жизнь».

www.eksmo.ru

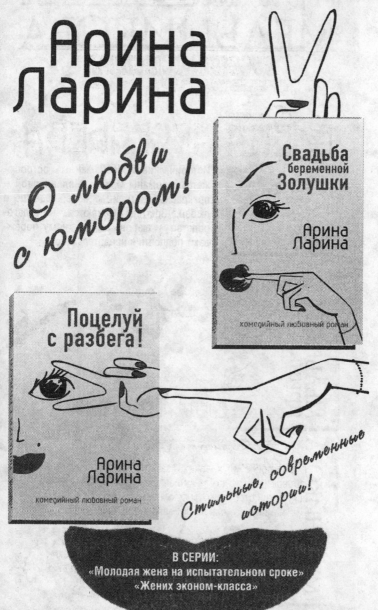

ирина
МЕЛЬНИКОВА

вера, надежда, любовь

Исторические и современные остросюжетные романы **Ирины Мельниковой** – прекрасные истории о вере, надежде и любви. Времена меняются, но благородство и любовь по-прежнему побеждают подлость и предательство!